Classiques

Collection animée par
Jean-Paul Brighelli et Michel Dobransky

Didier Daeninckx
Cannibale

Présentation, notes, questions et après-texte établis par

JOSIANE GRINFAS
professeur de Lettres

MAGNARD

Sommaire

Sommaire

PORTRAIT CHINOIS DE DIDIER DAENINCKX

« Et si Didier Daeninckx était une couleur ? » – Ce serait le noir : noir comme les romans policiers qu'il écrit ; noir comme la mort qui entra dans sa vie la nuit du 8 février 1962, quand, au métro Charonne, une amie de sa mère mourut sous les coups des policiers parce qu'elle manifestait contre la guerre coloniale qui ensanglantait l'Algérie ; noir comme l'ombre dont il tire des épisodes tragiques de l'histoire contemporaine ; noir comme les Kanaks de l'île de Lifou qui lui ont raconté comment, en 1931, cent cinq des leurs ont été parqués à Paris, au milieu de crocodiles, pour servir d'attraction à l'Exposition coloniale ; noir comme le visage de Christian Karembeu, dont les deux arrière-grands-pères faisaient partie de ces hommes, femmes et enfants exposés comme des « cannibales français » et finalement échangés contre des crocodiles du zoo de Hambourg…

Didier Daeninckx rencontre la terre de Nouvelle-Calédonie en 1997 : il y a été invité par le directeur de la Bibliothèque centrale, qui veut apporter la culture du livre à toutes les tribus de l'archipel. Il visite alors les cases-bibliothèques et lui, l'écrivain, découvre un peuple dont la culture est essentiellement orale. Le soir, à la veillée, des conteurs lui racontent des légendes, des histoires ; un jour, quelqu'un évoque le triste sort des Kanaks de l'Exposition coloniale de 1931. Ce drame, que la presse parisienne de l'époque traita comme un simple fait divers, émeut profondément Didier Daeninckx, dont l'histoire personnelle, les choix politiques et littéraires sont marqués par la lutte contre toutes les formes de discrimination.

Né à Saint-Denis, en 1949, il porte le nom d'une lignée de déserteurs que l'exil conduisit de Gand à Stains et de la boue des tranchées à «la boue des banlieues». Du côté maternel, il descend de cheminots militants communistes; sa mère elle-même se bat contre les guerres coloniales et le fascisme. Dans la cour de son école d'Aubervilliers, ses copains sont kabyles, africains. Et quand, dans les années 1960, il abandonne un travail d'imprimerie pour voyager, il va à la rencontre des hommes du Maghreb, du Moyen-Orient et de Cuba.

Depuis qu'il est devenu écrivain, son travail ne cesse de croiser ce qu'il appelle sa «romance familiale» et le nom d'hommes, de lieux que l'histoire de France aurait parfois voulu oublier, voire effacer.

Ainsi, quand, en 1998, on lui demande une contribution au cent cinquantième anniversaire de l'abolition de l'esclavage, il rédige une pièce radiophonique, intitulée *Des Canaques à Paris*, dont il reprend le thème pour écrire *Cannibale* et, ainsi, fixer par écrit un peu de la souffrance du peuple kanak. Car celui qui a dit «Pour moi, c'est une maxime d'écrivain : être un homme *contre*» ne cesse, en fait, d'écrire *pour* la mémoire collective.

Didier Daeninckx
Cannibale

De quel droit mettez-vous des oiseaux dans des cages ?
De quel droit ôtez-vous ces chanteurs aux bocages,
Aux sources, à l'aurore, à la nuée, aux vents ?
De quel droit volez-vous la vie à ces vivants ?

VICTOR HUGO

Les accords de Nouméa, signés en 1998, ont officialisé le mot kanak *et l'ont rendu invariable, soulignant la dimension paternaliste et coloniale du terme usuel* canaque.

En voiture la vitesse émousse les surprises, mais il y a bien longtemps que je n'ai plus la force de couvrir à pied les cinquante kilomètres qui séparent Poindimié de Tendo. Le sifflement du vent sur la carrosserie, le ronronnement de la
5 mécanique effacent les cris des roussettes[1] perchées au sommet des niaoulis[2]. Je ferme les yeux pour me souvenir que là, juste après l'alignement des pins colonnaires, il fallait quitter la piste de latérite[3], s'enfoncer dans la forêt et suivre les chemins coutumiers. Les anciens nous avaient appris à nous
10 recueillir près d'un banian[4] centenaire dont les racines aériennes formaient une sorte de passage voûté voué à la mort. On repartait. Le sentier se courbait sur le flanc de la colline, et il arrivait un moment où le sommet de la tête franchissait la crête. On retenait son pas, sa respiration. En une
15 fraction de seconde, le monde changeait de visage. La terre rouge, le vert sombre du feuillage, l'habillage argenté des branchages disparaissaient, effacés par la saturation de tous les bleus de la création. On clignait des yeux pour discerner, au

1. Grands mammifères volants de la famille des chauves-souris.
2. Arbrisseaux qui produisent une substance odorante.
3. Sol de couleur rouge brique que l'on trouve dans certaines régions tropicales.
4. Espèce de figuier.

BIEN LIRE

L. 1-3 : Quel constat le narrateur fait-il ? Quelle peut en être la cause ?

L. 7 et suivantes : Remarquez le changement de temps. Comment, d'après vous, se justifie-t-il ?

loin, la ligne qui mariait mer et ciel. En vain. Tout ici était
20 aussi transparent que le regard. On s'habituait peu à peu à la
vibration de l'air. L'écume traçait la ligne ondulante de la barrière de corail, et au large le sable trop blanc rayonnait autour
des îlots.

L'écart que fait Caroz, pour éviter une fondrière [1], m'arrache
25 à ma rêverie.

— Excuse-moi, je l'ai vue au dernier moment. Je t'ai réveillé ?

— Non, je contemplais la baie de Hienghene... On n'arrive
pas à y croire tellement c'est beau...

Caroz se met à rire. Il lâche le volant d'une main pour me
30 taper sur l'épaule.

— Tu as raison, Gocéné ! C'est tellement beau comme paysage qu'on l'apprécie encore davantage les yeux fermés...

— Tu ferais mieux de regarder devant toi, au lieu de raconter
n'importe quoi...

35 Cent mètres plus bas, deux cocotiers abattus coupent la
piste. Caroz redevient sérieux. Il ralentit en freinant par à-
coups.

— Tu savais qu'il y avait des barrages dans le secteur ? J'ai
écouté la radio avant de partir, ils n'en ont pas parlé.

40 — Non... Mais il fallait s'attendre que ça gagne du terrain...

---

1. Trou boueux dans une route.

BIEN LIRE

L. 31 : Quel est le nom du narrateur ?

Tout le nord de la Grande-Terre est isolé du monde depuis des semaines, et il ne se passe rien. Personne ne veut discuter. Dans ce pays, la révolte, c'est comme un feu de broussaille... Il faut l'éteindre au début. Après...

45 On distinguait maintenant la fourgonnette bâchée, une japonaise, dissimulée par un rideau de larges feuilles de bananier. Deux jeunes hommes vêtus de jeans, de tee-shirts bariolés, le visage encadré par la lourde coiffe rasta, se tenaient embusqués derrière la cabine du véhicule, leurs armes braquées dans 50 notre direction.

L'emblème de la Kanaky[1] flotte au-dessus de leurs têtes, accroché à l'une des pointes d'une fougère arborescente. Malgré moi, je me mets à parler à voix basse :

– Surtout, ne va pas droit sur eux... On ne sait jamais, ce sont 55 des mômes... Prends légèrement vers la droite, et arrête-toi près du rocher en laissant le moteur tourner, je vais aller leur parler...

Ils comprennent ce que nous allons faire. L'un des occupants du barrage escalade les troncs de cocotiers couchés et se précipite au-devant de notre voiture en brandissant son fusil. Je 60 passe la tête par la fenêtre pour comprendre ce qu'il hurle :

– Demi-tour ! Demi-tour ! On ne passe pas !

---

1. Nom que les Kanaks donnent à leur île.

BIEN LIRE

L. 43 : Comment définiriez-vous la « révolte » (par comparaison avec la « révolution », par exemple) ?

L. 44 : « Après... » Selon vous, qu'est-ce qui est sous-entendu ?

L. 54-55 : « On ne sait jamais, ce sont des mômes... » Comment comprenez-vous cette remarque ?

Caroz immobilise la Nissan à sa hauteur.

– Je dois aller dans la montagne. J'accompagne le vieux
Gocéné jusqu'à la tribu de Tendo, et ensuite je retourne sur
65 Poindimié... C'est à côté...

Je ne vois pas la tête de l'insurgé, seulement celle de Bob
Marley en sérigraphie, sur le maillot.

– Tu n'as pas compris, grand-père ? Tout est bloqué.
Rebrousse chemin pendant qu'il est encore temps. Ce soir il y
70 aura des barrages sur toutes les pistes. Depuis Poum[1] jusqu'aux
portes de Nouméa[2] !

Je veux dire à Caroz qu'il ne faut pas insister, mais il ne m'en
laisse pas le temps. Il se fait implorant :

– On est presque arrivés... Il reste à peine vingt kilomètres...
75 La crosse du fusil heurte la tôle du capot.

– Demi-tour ! Tu as compris ? On ne discute pas. Demi-tour !

J'ouvre la portière et pose un pied à terre alors qu'il
enclenche la marche arrière en faisant hurler la boîte de vitesses.

– Il vaut mieux que tu repartes dès maintenant... Moi, je vais
80 descendre ici. Je faisais le chemin à pied tous les mois quand
j'étais jeune. Il doit me rester assez de jambes pour monter jusqu'à Tendo...

Je le regarde manœuvrer. Les roues arrière patinent sur la

---

1. Ville de l'extrême Nord de la
Nouvelle-Calédonie.
2. Ville du Sud de l'île, fondée en
1854.

BIEN LIRE

**L. 63-64 : Quelle valeur donnez-vous ici
à l'adjectif « vieux » ? Par quel autre
adjectif pourrait-on le remplacer ?**

piste, soulevant un fin nuage de sable rouge. La Nissan cahote
85 sur la pente, semble se cabrer à l'approche du sommet et dispa-
raît dans la vallée. Le jeune Kanak tourne son regard vers moi
et part d'un grand rire.

– Je crois bien qu'on lui a fait peur, à ton chauffeur blanc !

Je le toise[1] et hausse les épaules.

90 – Ce n'est pas toi qui l'impressionnes, c'est seulement que tu
as un fusil entre les mains et qu'on voit bien que tu ne sais pas
t'en servir.

Il fronce les sourcils et veut riposter, mais la couleur de mes
cheveux, les rides sur mon front, mes mains retiennent ses
95 mots. Il passe la sangle de l'arme à son épaule et contourne le
barrage. Son compagnon, assis en tailleur, attise un feu de bois
sur lequel chauffe une bouilloire aux flancs noircis. Des crevettes de creek reposent sur un linge.

– Pourquoi tu étais dans la voiture du Blanc, grand-père ? Les
100 nôtres ont toujours dû courber l'échine devant eux...

Je détache une feuille de bananier que j'agite devant les
braises, ravivant les flammes.

– Qu'est-ce que tu en sais ? Nous n'avons pas tous marché à
genoux, et certains Blancs étaient plus respectables que bien des
105 nôtres... L'homme que tu as chassé sans même essayer de

---

1. Je le regarde de haut, avec mépris.

BIEN LIRE

L. 88 : « Ton chauffeur blanc. » Quel est le ton utilisé ?

L. 99-100 : Quel pronom possessif le jeune Kanak oppose-t-il au mot « Blanc » ?

l'écouter à soixante-quinze ans, comme moi. Même s'il est blanc, il est tout aussi kanak que toi et moi : il a fait des mois de prison, chez les siens, pour avoir pris ma défense...

– Un Blanc en prison à cause d'un Kanak ? C'est la première
110 fois que j'entends ça ! Et toi, Kali, tu crois que c'est possible ?

Kali ne répond pas. Il se contente d'une grimace interrogative et dépose du sucre, puis des sachets de thé dans deux verres. Il se décide à me regarder.

– Tu en veux, grand-père ?

115 – Je te remercie, la piste m'a donné soif... Et j'aimerais me reposer avant d'entreprendre la montée jusqu'à Tendo.

Il sort un troisième verre d'une sacoche, l'essuie et le pose devant moi, me tend la boîte de thé, le sucre. Il verse l'eau dans les verres.

120 – Wathiock a pêché des crevettes. Tu en mangeras bien quelques-unes avec nous ?

J'acquiesce d'un hochement de tête et aspire entre mes lèvres un peu de liquide brûlant. Wathiock vient s'accroupir face à moi.

125 – Je ne comprends toujours pas comment il a pu être mis en prison à cause de toi...

– Pas à cause de moi : pour moi ! Tu n'arrives pas à y croire, et pourtant il y a beaucoup de choses encore plus surprenantes dans mon histoire...

130   Kali roule une cigarette entre ses doigts. Il me tend le paquet de tabac, l'étui de papier. Je lui montre ma paume pour décliner l'offre.

Je m'appelle Gocéné, je suis né à Canala mais les hasards de la vie m'ont fait découvrir les hautes vallées de la Hienghene, et c'est là que sont les miens, aujourd'hui. Il y a très longtemps, j'étais alors aussi jeune, aussi nerveux que vous deux, j'ai été désigné par
5 le chef du village, avec une vingtaine de garçons et moitié moins de filles, pour aller à Nouméa. Nous ne savions pas pourquoi... Les soldats nous ont escortés jusqu'à La Foa. Deux jours de marche par la route charretière. Là, des camions nous attendaient. Nous sommes descendus à Nouméa où nous avons
10 rejoint d'autres Kanak venus des îles d'Ouvéa, de Lifou, de Maré[1]... Nous étions plus d'une centaine. On dormait dans un immense hangar à fruits, sur le port, quand le grand chef Boula nous a réveillés pour nous présenter un Français, l'adjoint du gouverneur Joseph Guyon. Il a commencé par nous appeler
15 « mes amis », et tout le monde s'est méfié. Il a rendu hommage à nos pères, à nos oncles qui étaient allés sauver la mère patrie d'adoption, pendant la Grande Guerre, avant de nous annoncer que nous partirions dès le lendemain pour l'Europe.

– Ce voyage est la chance de votre vie. Grâce à la Fédération

---

1. Ces trois îles font partie de l'archipel de Mélanésie. Elles sont situées au large de la côte Est de la Nouvelle-Calédonie.

BIEN LIRE

L. 4 : Qui sont les destinataires du récit de Gocéné ?

L. 14 : À qui renvoie le pronom « il » ?

L. 17 : De quelle guerre s'agit-il ?

française des anciens coloniaux qui a intercédé auprès de M. le gouverneur, la Nouvelle-Calédonie tiendra toute sa place au cœur de la prochaine Exposition coloniale. Auprès de vos frères en voie de civilisation, d'Afrique, d'Asie, d'Amérique, vous représenterez la culture ancestrale de l'Océanie. Vous montrerez par vos chants, vos danses, que coloniser ce n'est pas seulement défricher la jungle, construire des quais, des usines, tracer des routes, c'est aussi gagner à la douceur humaine les cœurs farouches de la savane, de la forêt ou du désert...

Nous avons embarqué le 15 janvier 1931, sur le *Ville de Verdun*. Nous vivions sur le troisième pont, comme des passagers de dernière catégorie. Il faisait trop chaud le jour, trop froid la nuit, et plusieurs d'entre nous ont contracté la malaria[1] lors d'une escale aux Nouvelles-Hébrides. Il y a eu trois morts, si mes souvenirs sont exacts, dont Bazit, un Kanak albinos de Wé. L'équipage a jeté leurs corps à la mer sans nous laisser le temps de leur expliquer que l'on naît pour vivre avec les vivants et que l'on meurt pour vivre avec les morts. Les morts ne peuvent vivre dans l'océan, ils ne peuvent pas retrouver leur tribu... Nous sommes arrivés à Marseille au début du mois d'avril, sous la pluie. Des autocars militaires attendaient sur le quai de la Joliette pour nous conduire directement à la gare Saint-Charles. Je ne connaissais

---

1. Maladie également appelée « paludisme » qui se manifeste notamment par de très fortes fièvres.

BIEN LIRE

L. 24-25 : Quelle valeur modale donnez-vous au futur « vous montrerez » ?

L. 39 : Combien de mois le voyage a-t-il duré ?

que la brousse de la Grande-Terre, et d'un coup je traversais l'une
des plus vastes villes de France... À l'époque, je n'étais jamais allé
au cinéma. J'avais mal aux yeux à force de les tenir ouverts pour
45 ne rien perdre du spectacle ! Les lumières, les voitures, les tramways, les boutiques, les fontaines, les affiches, les halls des ciné-
mas, des théâtres... Parvenus à la gare, nous n'osions pas bouger.
Nous restions collés les uns aux autres, comme des moutons,
effrayés par le bruit, les fumées, les râles de vapeur et les siffle-
50 ments des locomotives. La fatigue m'a terrassé. Je n'ai presque
rien vu du voyage, sauf un moment magique : un peu de neige
qui tombait sur le Morvan. Je restais le plus près possible de
Minoé. Elle m'était promise, et j'avais fait le serment à son père,
le petit chef de Canala, de veiller sur elle.
55   À Paris, il ne subsistait rien des engagements qu'avait pris
l'adjoint du gouverneur à Nouméa. Nous n'avons pas eu droit
au repos ni visité la ville. Un officiel nous a expliqué que la
direction de l'Exposition était responsable de nous et qu'elle
voulait nous éviter tout contact avec les mauvais éléments des
60 grandes métropoles. Nous avons longé la Seine, en camion, et
on nous a parqués derrière des grilles, dans un village kanak
reconstitué au milieu du zoo de Vincennes, entre la fosse aux
lions et le marigot des crocodiles. Leurs cris, leurs bruits nous

---

BIEN LIRE

**L. 43-44 : « À l'époque, je n'étais jamais allé au cinéma. » Cette
phrase est-elle à prendre au sens propre ?**

**L. 55-56 : Reportez-vous à la page 19. Ces « engagements »
apparaissent-ils dans le texte ?**

terrifiaient. Ici, sur la Grande-Terre, on ne se méfie que du ser-
65 pent d'eau, le tricot rayé. Et encore... les gamins s'amusent
avec. C'est rare qu'il arrive à ouvrir sa gueule assez grand pour
mordre! Au cours des jours qui ont suivi, des hommes sont
venus nous dresser, comme si nous étions des animaux sauvages. Il fallait faire du feu dans des huttes mal conçues dont le
70 toit laissait passer l'eau qui ne cessait de tomber. Nous devions
creuser d'énormes troncs d'arbres, plus durs que la pierre, pour
construire des pirogues tandis que les femmes étaient obligées
de danser le pilou-pilou à heures fixes. Au début, ils voulaient
même qu'elles quittent la robe-mission et exhibent leur poi-
75 trine. Le reste du temps, malgré le froid, il fallait aller se baigner
et nager dans une retenue d'eau en poussant des cris de bêtes.
J'étais l'un des seuls à savoir déchiffrer quelques mots que le
pasteur m'avait appris, mais je ne comprenais pas la signification du deuxième mot écrit sur la pancarte fichée au milieu de
80 la pelouse, devant notre enclos : *Hommes anthropophages*[1] *de
Nouvelle-Calédonie.*

Il y a beaucoup de choses que j'ai vues, là-bas, et d'autres qu'il
a fallu que je rêve ou que l'on me raconte, pour comprendre ce
qu'on avait fait de ma vie et de celle des miens. L'Exposition colo-
85 niale couvrait plus de cent hectares du bois de Vincennes, au-delà

---

1. Qui mangent de la chair
humaine ; synonyme de « cannibales ».

BIEN LIRE

**L. 80 : Pourquoi l'ignorance du mot
« anthropophages » est-elle cruelle dans
ce contexte ?**

des fortifications de Paris. Cent hectares pour célébrer un Empire de douze millions de kilomètres carrés peuplé de cent millions d'habitants ! On avait reconstitué le temple cambodgien d'Angkor Vat avec ses cinq dômes pareils à de gigantesques tho-
90 rax d'insectes dorés par le soleil... Il y avait aussi le Gabon, Pondichéry, Karikal, Chandernagor, le Dahomey, les États du Levant, la Cochinchine, l'Oubangui-Chari, La Désirade, Marie-Galante... Un train électrique permettait aux visiteurs de parcourir le monde et d'aller d'un continent à l'autre le temps de fumer
95 une cigarette. Le premier parc zoologique de France, aménagé pour l'occasion, se trouvait un peu à l'écart, en bordure de la route de Saint-Mandé. La direction de l'Exposition, le haut-commissariat, était située à l'opposé, vers la porte de Reuilly, face au pavillon de Madagascar. Je devais y faire irruption quelque
100 temps plus tard, dans des conditions dramatiques que je vous préciserai le moment venu, et me trouver face à M. le haut-commissaire[1] Albert Pontevigne...

Pour l'heure, l'ouverture est imminente[2] et je l'imagine, assis derrière son bureau encombré de papiers... Il est inquiet. Il sait

1. Représentant de l'État chargé de l'administration d'un département, d'un territoire.
2. Très proche dans le temps.

105 que le moindre incident lui sera directement imputé[1]. Il se lève,
fait les cent pas, regarde par la fenêtre, ressasse[2] la chute du discours qu'il doit prononcer devant les représentants de toutes les
nations rassemblées à Vincennes. Dans sa tête, il fait rouler les *r* :
    – Un cycle de l'Histoire du monde s'est achevé, qui vit les heurts
110 *et les froissements des races, l'hégémonie de l'une, l'assujettissement*
des autres. Un nouveau cycle commence qui les verra se rapprocher
toutes... Cette Exposition en constitue les prémices[3]...

Il se laisse tomber sur un canapé, avale un verre de porto,
allume la radio. Il sourit en fredonnant la marche officielle de
115 la manifestation chantée par Alibert, que diffuse le Poste parisien :

    Quittant son pays, un p'tit négro d'Afrique centrale
    Vint jusqu'à Paris voir l'Exposition coloniale :
    C'était Nénufar, un joyeux lascar.
120   *Pour être élégant, c'est aux pieds qu'il mettait ses gants...*
    Nénufar, t'as du r'tard mais t'es un p'tit rigolard,
    T'es nu comme un ver, tu as le nez en l'air
    Et les ch'veux en paille de fer...

---

1. Attribué ; il en aura la responsabilité.
2. Répète inlassablement.
3. Débuts.

BIEN LIRE

L. 109 : « Qui vit. » Donnez l'infinitif de
ce verbe. À quel temps est-il ?
L. 114 : Quel est, ici, le sens du mot
« marche » ?
L. 117-123 : Dans quel registre de
langue cette marche a-t-elle été écrite ?

Il tourne le bouton des fréquences, l'aiguille glisse derrière la
125 vitre du tableau, accrochant les ondes émises par tous les pays
présents dans le bois de Vincennes. L'indicatif d'un lointain
journal d'informations capte son attention. Il oriente l'antenne
pour atténuer les interférences.

– *Chers auditeurs, bonjour. Comme chaque semaine, Radio*
130 *Tunis est heureuse de vous proposer* La Voix du protectorat, *pré-
sentée par Charles des Embruns. C'est demain, 2 mai 1931, que
le président de la République française, M. Gaston Doumergue*[1]*,
inaugurera l'Exposition coloniale, en compagnie du maréchal
Louis Hubert Gonzalve Lyautey*[2]*. Tout est fin prêt : les musées, les*
135 *salles de cinéma, les nouvelles stations de métro, le parc zoologique
de Vincennes. La Tunisie est bien entendu l'une des attractions
majeures, avec la reconstitution de ses palais, de ses jardins, de ses
minarets*[3]*...*

On cogne à la porte.
140 Il baisse le volume et range le verre, la bouteille de porto dans
le buffet, sur lequel est posé le récepteur radio.

– Entrez.

Les lames du plancher grincent sous le poids d'un gros

---

1. Homme d'État français (1863-1937), plusieurs fois
ministre, puis président du Conseil (1913-1914), il fut élu
président de la République après la victoire du Cartel
des gauches (1924).
2. Officier français (1854-1934) qui fit la plus grande partie de sa carrière dans les colonies. Il fut ministre de la
Guerre entre 1916 et 1917.
3. Hautes tours des mosquées. C'est depuis le minaret
que le muezzin appelle les fidèles à la prière.

BIEN LIRE

**L. 131 : Quel jour
sommes-nous donc ?**
**L. 143 : Qu'est-ce que
la « lame » d'un
plancher ?**

homme d'une trentaine d'années qui avance tête baissée. Albert
145 Pontevigne le toise.

– Ah, c'est enfin vous, Grimaut ! Cela fait bien deux heures
que je vous ai fait demander... Que se passe-t-il avec les crocodiles ? J'ai fait le tour du parc ce matin, avant de venir au
bureau, je n'en ai pas vu un seul dans le marigot...

150 Grimaut commence à transpirer. Il baisse les yeux.

– On a eu un gros problème dans la nuit, monsieur le haut-
commissaire... Personne ne comprend ce qui a bien pu se passer...

– Cessez donc de parler par énigme ! Où sont nos crocodiles ?

155 – Ils sont tous morts d'un coup... On pense que leur nourri-
ture n'était pas adaptée... À moins qu'on ait voulu les empoi-
sonner...

L'administrateur reste un instant sans voix, puis il se met à
hurler.

160 Grimaut déglutit douloureusement.

– Morts ! Tous morts ! C'est une plaisanterie... Qu'est-ce
qu'on leur a donné à manger ? De la choucroute, du cassoulet ?
Vous vous rendez compte de la situation, Grimaut ? Il nous a
fallu trois mois pour les faire venir des Caraïbes... Trois mois !
165 Qu'est-ce que je vais raconter au président et au maréchal,

BIEN LIRE

L. 150 : Dans quel état d'esprit Grimaut se trouve-t-il ?
L. 162 : « De la choucroute, du cassoulet ? » Quel est le ton de la remarque ?

demain, devant le marigot désert? Qu'on cultive des nénuphars? Ils vont les chercher, leurs crocodiles, et il faudra bien trouver une solution... J'espère que vous avez commencé à y réfléchir...

170   L'adjoint a sorti un mouchoir de sa poche. Il se tamponne le front.

– Tout devrait rentrer dans l'ordre au cours des prochaines heures, monsieur le haut-commissaire... J'aurai une centaine de bêtes en remplacement, pour la cérémonie d'ouverture. Des
175   crocodiles, des caïmans, des alligators... Ils arrivent à la gare de l'Est, par le train de nuit...

– Gare de l'Est! Et ils viennent d'où?

Grimaut esquisse un sourire.

– D'Allemagne...

180   – Des sauriens teutons[1]! On aura tout vu... Et vous les avez attrapés comment, vos crocodiles, Grimaut, si ça n'est pas indiscret?

L'adjoint se balance d'un pied sur l'autre.

– Au téléphone, tout simplement. Ils viennent de la ména-
185   gerie du cirque Höffner, de Francfort-sur-le-Main. C'était leur attraction principale, depuis deux ans, mais les gens se sont

---

1. Allemands. Surnom ironique, voire péjoratif, donné par référence à une ancienne peuplade germanique.

BIEN LIRE

L. 180 : « Des sauriens teutons ! »
Expliquez le comique de ces deux mots réunis.

L. 184 : Le comique continue. En quoi ?

lassés. Ils cherchaient à les remplacer pour renouveler l'intérêt du public, et ma proposition ne pouvait pas mieux tomber...

Albert Pontevigne fronce les sourcils.

190 – Une proposition ? J'ai bien entendu... J'espère que vous ne vous êtes pas trop engagé, Grimaut.

– Je ne pense pas... En échange, je leur ai promis de leur prêter une trentaine de Canaques. Ils nous les rendront en septembre, à la fin de leur tournée.

195 *Wathiock taille une branche avec laquelle il pique trois crevettes de creek écarlates qui suent leur eau sur les braises. Il me les tend.*

– Ce n'est pas une histoire vraie, grand-père...

– Attends de l'avoir écoutée jusqu'à la fin. J'ai refait mille fois chaque pas de ces journées-là en promenant mon regard sur de
200 *vieux numéros de* L'Illustration[1], *en suivant le tracé des rues sur des plans de Paris...*

Je détache la tête et j'aspire le corail liquide. La carapace craque sous mes doigts dégageant la chair blanche. Un couple de perruches babille sur une branche de la fougère arborescente, près du drapeau
205 *de Kanaky.*

Il ne faisait pas beau, le matin de l'inauguration. Le cortège

---

1. Journal fondé en 1843 (publié jusqu'en 1944) qui est l'ancêtre des magazines d'actualité. D'abord anti-monarchiste, il évolua vers la droite dans l'entre-deux-guerres.

BIEN LIRE

L. 192-193 : En quoi le verbe « prêter » est-il déplacé ?
L. 195-205 : Quelle rupture les italiques marquent-elles ?

officiel a effectué sa visite au pas de charge. Et comme le maréchal Lyautey s'était attardé au pavillon du Maroc, en souvenir
de ses conquêtes, on a écourté la découverte du nouveau parc
210 zoologique. Le président Doumergue avait un faible pour les
pachydermes et les otaries. Il n'est même pas passé devant la
fosse aux lions, le village des cannibales kanak et le marigot des
crocodiles germains !

Nous avons juste eu droit à la fanfare de la Garde républi-
215 caine qui a fait le tour des allées à cheval. À midi, le beau temps
était revenu, et les curieux ont commencé à défiler de l'autre
côté des grilles : des familles en goguette[1] venues de toutes les
provinces de France, les rangs serrés des enfants des écoles, des
religieuses en cornette menées par la mère supérieure, une délé-
220 gation de saint-cyriens[2] coiffés de leur casoar[3]. On nous jetait
du pain, des bananes, des cacahuètes, des caramels... Des
cailloux aussi. Les femmes dansaient, les hommes évidaient le
tronc d'arbre en cadence, et toutes les cinq minutes l'un des
nôtres devait s'approcher pour pousser un grand cri, en mon-
225 trant les dents, pour impressionner les badauds.

Nous n'avions plus une seule minute de tranquillité, même
notre repas faisait partie du spectacle. Quand les heures sonnaient au clocher de Notre-Dame-de-Saint-Mandé, dix d'entre

---

1. Disposées à faire la fête ; en sortie joyeuse ; un
peu ivres.
2. Élèves officiers de l'école militaire située à
Saint-Cyr-l'École, dans les Yvelines.
3. Plumet qui orne la coiffe des saint-cyriens. Par
extension, nom de cette coiffe.

BIEN LIRE

**L. 211-213 : Quel sentiment
Gocéné exprime-t-il ?**

nous étaient obligés, à tour de rôle, de grimper à des mâts, de
230 courir, de ramper, de lancer des sagaies, des flèches, des javelots.
Au milieu de l'après-midi, le chef des gardiens est entré dans
l'enclos, suivi de six de ses hommes. Il tenait une liste à la main
et passait près de nous en criant des noms :

– Wakoca, Kopéou, Wadigat, Thagete, Karembeu[1], Pizizam,
235 Catorine, Kicine, Minoé...

Ceux qui étaient appelés devaient entrer dans la grande case,
et nous pensions qu'ils avaient gagné le droit d'aller se reposer.
En s'inclinant pour franchir la porte basse, Minoé s'est retour-
née et m'a fait un sourire. Le chef venait tout juste de replier son
240 papier quand ça s'est mis a crier du côté des crocodiles.
Quelqu'un agitait vigoureusement la grille du passage de service.

– Gardien, ouvrez donc cette porte !

L'un des hommes s'est précipité pour débloquer la serrure et
Grimaut, l'adjoint du haut-commissaire, s'est dirigé droit sur le
245 chef en soufflant.

– Alors ? Où est-ce que vous en êtes ?

Il a tapoté, satisfait, la poche dans laquelle il venait de glisser
la liste.

– Tout est normal, monsieur Grimaut. J'ai regroupé ceux

---

1. Il s'agit de l'arrière-grand-père
du célèbre footballeur Christian
Karembeu.

BIEN LIRE

L. 229-230 : Quel procédé souligne
l'accélération de leurs tâches ?

L. 234-235 : Vous souvenez-vous du
sort réservé à ces Kanaks ?

250 que vous avez choisis. Ils attendent, là, dans la hutte. Ils sont assez nerveux, surtout les plus jeunes...

– Vous ne leur avez rien dit, au moins ?

– Ne vous inquiétez pas, je connais mon travail. Je leur ai simplement conseillé de préparer leurs affaires...

255 À ce moment-là, une interminable délégation de députés, de maires, de sénateurs, de conseillers généraux, tous ceints[1] de leur écharpe tricolore, s'est mise à serpenter dans les allées du parc. Le cortège était scindé par groupes de provinces, précédés chacun d'une dizaine de couples en habits traditionnels. Pêcheurs et 260 lavandières de Provence, Alsaciennes en coiffe, chapeau rond des Bretons, gueules noires[2] casquées, Auvergnats en sabots, béret rouge et fifrelin[3] des Basques... Les gardiens nous ont repoussés vers les pirogues, les mâts, l'aire du pilou-pilou, et j'ai simplement vu le dos du haut-commissaire adjoint quand il pénétrait à 265 son tour dans la grande case. Il a fermé la porte. On m'a raconté plus tard que les gardiens ont obligé les nôtres à s'asseoir. Grimaut se tenait à la poutre de bois de cocotier, les pieds sur l'emplacement du feu. Il s'est essuyé le visage, s'est raclé la gorge.

– Bonjour, mes amis... Je suis venu vous chercher pour vous 270 faire visiter Paris... Nous ne pouvons pas emmener tout le monde d'un seul coup, il faut bien que certains restent afin de

---

1. Portant autour de leur poitrine leur écharpe tricolore.
2. Surnom donné aux mineurs, dont le visage était souvent maculé de charbon.
3. Petite flûte traversière.

BIEN LIRE

L. 254 : Quelle attitude l'adverbe « simplement » suggère-t-il ?

L. 269-276 : D'après-vous, quelle est la valeur des points de suspension ?

représenter dignement la Nouvelle-Calédonie dans cette grandiose Exposition coloniale... Un autobus vous attend derrière le parc pour vous conduire à Notre-Dame, à l'Arc de Triomphe,
275 au Sacré-Cœur, à la tour Eiffel. N'oubliez pas votre paquetage. Je vais vous demander de me suivre...

Ueken, un petit chef de Chépénéhé, s'est levé en tendant son baluchon.

– Nous allons vous suivre, monsieur, puisque vous nous le
280 demandez... Mais nous n'avons pas besoin de prendre nos bagages pour visiter Paris...

Grimaut n'a pas eu le temps de répondre. Le gardien-chef est venu se placer près de Ueken et l'a pris par l'épaule.

– On voit bien que tu ne sais pas ce que c'est que Paris! La
285 ville, sans compter la banlieue, c'est dix fois plus d'habitants que toute ton île... Il faut des jours et des jours pour en faire le tour. Allez, on y va. Il ne faut pas perdre de temps. En route!

Quand ils sont sortis de la case, je me trouvais à l'autre bout du village kanak. Je brandissais un casse-tête bec d'oiseau pour
290 faire semblant d'attaquer Badimoin, mon meilleur ami, un cousin de Minoé. Il parait les coups à l'aide d'un panneau de bois recouvert d'éclats de nacre qui capturaient les rayons de soleil. L'un de nos frères se laissa glisser du haut du mât où il s'était

BIEN LIRE

L. 289-294 : Relevez les détails qui soulignent le caractère artificiel de la mise en scène.

juché pour décrocher des noix de coco vides. Il se précipita vers
295 nous et vint se placer entre ma massue de jade[1] et le bouclier.

– Gocéné, tu as vu, là-bas ? Ils les font sortir par la petite
porte de la case, à l'arrière... Tu sais où ils les emmènent ?

J'ai jeté mon arme à terre et je me suis mis à courir pour les
rejoindre avant qu'ils ne franchissent la clôture. Les gardiens
300 faisaient un rempart de leurs uniformes. J'ai essayé de les écar-
ter mais ils m'ont repoussé en riant.

– Laissez-moi passer... Je veux sortir...

Leur chef se tenait de l'autre côté de la grille. Il a fermé la
porte à double tour, puis il a agité le trousseau de clefs à hau-
305 teur de mes yeux.

– Ne t'inquiète pas, tu feras partie du deuxième voyage !

Mes mains se sont accrochées aux barreaux. J'ai hurlé :

– Minoé ! Minoé !

Je l'ai vue qui s'écartait de la file, dans le chemin. Elle a
310 échappé aux gardiens et est venue se coller à la grille. J'ai senti
son souffle sur ma peau.

– Où est-ce qu'ils vous emmènent ?

Elle a eu le temps de prononcer : « À Paris. » Ils m'ont obligé
à lâcher prise en me tapant sur les doigts. Deux surveillants
315 l'ont saisie à bras-le-corps pour la porter jusqu'au camion jaune
et vert stationné au bout de l'allée, derrière le marigot des crocodiles. Elle se débattait. Je l'entendais crier, malgré les mains
qui la bâillonnaient :

---

1. Pierre très dure, verte et opaque.

– Gocéné ! Ne me laisse pas... Gocéné, j'ai peur...

320 – Lâchez-la !

La rage s'est emparée de moi. J'ai regretté d'avoir jeté dans le sable mon casse-tête bec d'oiseau à bout de jade. Je me suis précipité sur les uniformes, les poings dressés. Ils n'attendaient que cela pour sortir leurs gourdins[1] et me frapper sur les épaules, la 325 tête. J'ai réussi à m'agripper à l'un des surveillants, à m'en servir comme d'un bouclier. J'avançais en le tenant par la gorge. Je montrais les dents, comme ils nous avaient appris à le faire pour impressionner les visiteurs. Ils avaient formé le cercle et riaient.

– Mais c'est qu'il mordrait, le cannibale !

330 L'un des gardiens s'était faufilé derrière moi, et quand j'ai pris conscience de sa présence, il était trop tard. La matraque s'est abattue sur ma nuque. Je suis tombé sur les genoux, à demi assommé. J'ai rassemblé toutes les forces qui me restaient pour ne pas fermer les yeux. Je luttais comme un nageur emporté par le 335 courant et dont l'eau, déjà, alourdit le corps. Les cris de Minoé m'arrivaient par intermittence, dans une sorte de brouillard sonore. J'ai voulu crier mais je n'ai même pas réussi à ouvrir les lèvres, ma langue pesait plus lourd qu'un galet. Leurs ombres fluctuantes se hissaient dans le camion jaune et vert dont le 340 moteur tournait au ralenti. Elles glissaient derrière les vitres, se

---

1. Matraques.

BIEN LIRE

L. 329 : De quel mot – déjà défini – « cannibale » est-il le synonyme ?

L. 336-337 : Expliquez l'image « brouillard sonore ».

cassaient en deux sur les banquettes de bois. Tout se tordait : les arbres, les corps, le camion. Je voyais un grand navire, mais les marins criaient : « Allez ! monte dans l'autobus... Toi le costaud, avec ton sac, va au fond... Tu entends ce que je te dis ? Allez, plus
345 vite que ça... » L'eau ruisselait devant mes yeux. Je ne savais pas que c'étaient mes larmes. Minoé, je suis trop faible. Le requin blanc, le grand ancêtre qui protège ton clan, va venir à ton secours. Aie confiance en lui, Minoé... La force et le courage m'ont quitté... Je ne peux tenir la promesse faite à ton père, le
350 chef Waito de Canala, de ne pas te quitter du regard... Minoé...

Le moteur a rugi, le camion s'est éloigné. J'ai vacillé, et l'obscurité a envahi ma vie.

Une voiture s'annonce au loin. La main de Kali se referme sur le canon de son fusil. Wathiock incline la tête en arrière pour boire
355 *les dernières gouttes épaisses de sucre. Il se lève, me fait signe de le suivre à l'abri de la carrosserie japonaise. Il pose son arme sur le toit de la cabine.*

— Les gendarmes ne vont pas tarder à venir rôder dans le secteur...
360 *Ce ne sont que des curieux, venus d'un village voisin. Ils observent le barrage depuis la crête. Ils crient des mots que le vent déforme et font demi-tour en klaxonnant. Quand, au bruit de la mécanique, il est certain qu'ils se sont bien éloignés, nous reprenons nos places près du feu.*

Le feulement[1] rauque d'un tigre me sortit de ma torpeur. Je pris appui sur les coudes pour détacher mon dos de la natte qui recouvrait le sol. La douleur raidissait mes épaules qu'on avait enduites d'un liquide poisseux. Tout autour de la case, les animaux encagés se répondaient dans la nuit. Vagissements des crocodiles au milieu des clapotis, rugissements proches des lions surpris dans leur sommeil par les pétards des feux d'artifice, barrits[2] tremblés des éléphants d'Asie, ululements des effraies[3] insomniaques, ricanements sournois des hyènes tachetées... Je croyais même entendre, sur le sol, les bruits d'écailles, les reptations[4] des bêtes molles, des insectes velus... Une ombre me frôla.

– Qui est-ce ? C'est toi, Badimoin ?

Le cousin de Minoé vint s'agenouiller près de moi. Il faisait partie de la maison du petit chef de Canala et connaissait mieux que moi tous les chemins coutumiers. Il me tendit un bol empli d'eau que je vidai goulûment[5].

– Ils nous ont battus, et les femmes aussi, quand nous sommes venus à ton secours. Nekoua a mâché des racines de kava[6] et des feuilles de renkaru[7] pour te faire un pansement...

1. Cri du tigre et de certains félins.
2. Cris des éléphants, barrissements (on disait autrefois « barrits »).
3. Variété de chouettes au plumage clair.
4. Mouvements des animaux qui se déplacent sur leur face ventrale, comme les serpents.
5. Avec grand appétit, avec avidité.
6. Espèce de poivrier.
7. Plante médicinale.

BIEN LIRE

L. 368 : De quel « liquide poisseux » peut-il s'agir ?

385   Je me suis soulevé pour lui parler à l'oreille :

– Chut... écoute-moi, Badimoin. Il faut que je retrouve Minoé. Je ne pourrai plus jamais retourner sur la terre de mes ancêtres si je l'abandonne. Elle m'a dit qu'on les emmenait à Paris. Je dois y aller, dès cette nuit. Je marcherai dans toutes les

390   rues, j'entrerai dans toutes les maisons et je reviendrai avec elle... J'ai besoin de l'argent collecté dans la tribu...

Il a posé sa main sur mon bras.

– J'ai enterré les billets près de la porte, sous un des poteaux sculptés de tour de case. Je vais les chercher à une seule condi-

395   tion...

– Laquelle ?

– Tu as fait la promesse à Waito de veiller sur elle, et moi j'ai le devoir de veiller sur vous deux... Je viens avec toi, Gocéné.

Nos chuchotements réveillaient les dormeurs, on se retour-

400   nait sur les nattes. Badimoin laissa filer les heures avant d'aller creuser la terre sous le masque de bois tandis que je rassemblais des vêtements de ville. Je l'ai rejoint en avançant à quatre pattes, et c'est comme des voleurs que nous avons franchi la porte de la case. Des nuages effilochés voilaient une petite moitié de

405   lune qui diffusait une clarté gris-bleu sur le village kanak. Je savais marcher dans l'ombre, mettre mes pas dans ceux des

BIEN LIRE

L. 386-387 : « Il faut que je retrouve Minoé. » Pourquoi, selon vous, cette phrase est-elle importante dans l'économie du récit ?

bêtes pour effacer mes traces, me confondre avec l'écorce, éviter que le vent ne porte à l'ennemi l'odeur de ma peau. Je savais la forêt, je savais l'océan. Tout autour, les animaux s'étaient tus.

410 Quelques grognements, quelques bruissements d'ailes se mêlaient aux agitations du feuillage, à la rumeur proche des faubourgs, au halètement d'un train vers Paris-Bercy. En silence, nous avons gagné l'abri d'une haie de troènes que nous avons longée jusqu'au terrain où ils avaient dressé les cibles du

415 lancer de sagaies. Badimoin s'est porté à ma hauteur.

– Pourquoi tu vas par là, Gocéné ? Les grilles sont trop hautes et, en plus, il y a la cabane des gardiens... Il vaudrait mieux rebrousser chemin.

– Non, regarde bien. C'est l'endroit le plus touffu, le moins à

420 découvert. Je suis allé y rechercher un javelot, cet après-midi. Dans le recoin, j'ai vu un arbre tordu dont une branche maîtresse passe au-dessus des piques de la clôture et du chemin qui longe le marigot des crocodiles. Je suis certain qu'on y grimpe plus facilement que sur les cocotiers ou les bananiers de Canala...

425 Nous avons progressé, de bosquets en taillis, contourné le chalet de bois où dormaient les hommes de garde. Le tronc de l'orme, noueux, offrait des prises à l'escalade. Parvenu à la naissance de la fourche, je m'y suis installé pour aider Badimoin à

BIEN LIRE

L. 408 : Qui est désigné par le mot « ennemi » ?
L. 409-429 : Relevez les détails qui suggèrent que la nature protège leur fuite.

grimper. Nous avons commencé à ramper sur la branche incli-
430 née, perdus dans la ramure. J'atteignais presque la frontière
métallique du village kanak quand ma tête a heurté des
rameaux qui retenaient un nid. Les oiseaux assoupis sont tombés comme des pierres autour de moi, avant de déployer leurs
ailes en poussant des cris perçants. Je me suis figé, le corps collé
435 aux nervures du bois, me retenant de respirer. Badimoin m'a
imité. La porte du chalet s'est ouverte sur un gardien dépe-
naillé. Il a levé sa lampe sourde vers les branchages, donnant
naissance à un véritable théâtre d'ombres vacillantes.

— Tu vois quelque chose, Yvon ?
440 — Pas vraiment... À mon avis, c'est un chat qui fait chier les
pigeons...

— Fais gaffe à ce qu'ils ne se vengent pas en te chiant dessus !

Il a haussé les épaules, posé sa lanterne dans l'herbe pour
venir se soulager contre notre arbre, puis il est rentré. La
445 lumière s'est éteinte, une éternité plus tard. Nous avons repris
notre progression et, parvenu à l'aplomb du chemin, je me suis
laissé pendre dans le vide. J'ai sauté et roulé immédiatement
derrière un arbuste. Badimoin s'est lancé dans la nuit à ma
suite. Il fallait maintenant longer le village, à distance, et
450 retrouver l'endroit où stationnait le camion jaune et vert. Je
marchais sur le sol spongieux du sous-bois quand, devant moi,
un froissement d'herbes a retenu mon pas. Je me suis penché en
écarquillant les yeux. Un crocodile de petite taille, qui avait dû
se faufiler à travers le grillage, me regardait fixement. Ignorant

sa présence, Badimoin m'a dépassé et son allure décidée a fait fuir le gros lézard. Nous avons laissé derrière nous la grande case et sa sculpture faîtière[1] qui se découpaient en sombre sur le ciel gris. Je me suis arrêté au bout du chemin, devant une place ronde d'où partaient trois routes goudronnées.

– C'est d'ici qu'ils sont partis... Le camion était arrêté près de ce platane.

Badimoin s'est baissé pour ramasser des bribes de nacre échappées d'un collier brisé. Elles brillaient dans sa paume tendue vers le carrefour.

– Tu sais quelle route ils ont prise ?

– Non... Je regardais sans voir. Tout dansait devant mes yeux... Le monde se tordait, comme au milieu d'une tornade. Ils les emmenaient à Paris... Cette route s'enfonce dans les bois, celle-ci va vers le grand lac pour en faire le tour... Seule la dernière nous conduit dans la direction de la ville, des lumières... Viens, le jour ne va pas tarder à se lever...

Nous avons traversé une immense clairière bordée de pavillons des colonies que surplombait la flèche de la mosquée de Djenné. Des Africains se lavaient, torse nu, à l'eau d'un bidon posé sur la pelouse devant leur paillote. Les dômes ouvragés du temple d'Angkor nous servaient de point de

---

1. Qui appartient au faîte, la partie la plus élevée d'un édifice.

BIEN LIRE

L. 466 : « Je regardais sans voir. »
Quelle différence établissez-vous entre
regarder **et** ***voir*** **?**

repère. Nous baissions la tête, la casquette enfoncée jusqu'aux yeux, en croisant les groupes de curieux qui se promenaient le long des vitrines des maisons de la Réunion, de la Guyane, des
480 Indes françaises, de la Côte des Somalis. Les manèges de la fête foraine étaient au repos, de l'autre côté des voies du train circulaire. Un grand bâtiment blanc à colonnades occupait toute la droite de l'esplanade de Reuilly. Badimoin la traversait en courant, pour se réchauffer, lorsqu'une voiture a surgi de nulle
485 part, lancée à pleine vitesse. Les pneumatiques ont glissé sur les pavés luisants, l'auto a fait une embardée[1] pour l'éviter et s'est arrêtée à quelques mètres, près d'une mappemonde où les possessions françaises dessinaient de larges taches rouges. Le chauffeur a fait pivoter un petit carreau rectangulaire. Il a
490 détaillé Badimoin qui ne se remettait pas encore de sa peur et s'est mis à hurler :

– Tu ne peux pas faire gaffe, le chimpanzé ! Tu descends de ta liane ou quoi... Tu te crois encore dans la brousse ?

Une femme s'est mise à rire, à l'arrière, puis la voiture a filé
495 vers les fortifications en crachant des nuages de fumée. J'ai pris Badimoin par l'épaule.

– Tu vois, on fait des progrès : pour lui, nous ne sommes pas des cannibales mais seulement des chimpanzés, des mangeurs

---

1. Brusque changement de direction.

BIEN LIRE

L. 492-493 : « Tu descends de ta liane ou quoi... » Qualifiez l'image employée.

de cacahuètes. Je suis sûr que, quand nous serons arrivés près
des maisons, là-bas, nous serons devenus des hommes.

Nous sommes entrés dans la ville. Une jungle de pierre, de
métal, de bruit, de danger. Les publicités électriques, les lumières
des candélabres[1], des restaurants, les phares des autos transfor-
maient la nuit en jour. Un véritable fleuve automobile nous séparait encore de Paris, et nous ne savions comment le franchir sans
risquer notre vie. Nous avons failli mourir mille fois au cours de
ces quelques premières heures de liberté. J'ignorais jusqu'à la
signification des mots « passage clouté », « feu tricolore » ! Le
fleuve suspendait son cours de manière incompréhensible, pendant quelques instants, et il suffisait que nous nous décidions à
le traverser pour que les moteurs se remettent à rugir. Cela faisait
bien vingt minutes que nous étions rejetés sur le trottoir, comme
des naufragés sur un rivage hostile, quand un groupe de fêtards
s'est annoncé en braillant. Ils étaient trop saouls pour s'enquérir
de qui nous étions. Ils ne se sont même pas aperçus que nous
avions emprunté leur sillage et ont passé le boulevard en marchant au pas sur le rythme d'une chanson que les haut-parleurs
de l'Exposition ne cessaient de diffuser. L'un d'eux a même posé
son bras sur mon épaule pour entonner le refrain :

---

1. Chandeliers à plusieurs branches ;
ici, il s'agit des réverbères, des lam-
padaires.

BIEN LIRE

L. 501-502 : Que suggère le mot
« jungle » ? En quoi, selon vous, est-
il aussi juste qu'inattendu dans ce
contexte ?

520 *Qu'est-ce que t'attends pour aller aux Colonies :*
En Afrique, en Asie, chez l'rajah ou l'sultan ?
Les serpents, c'est moins méchant
Qu'ta femme qui gueule tout l'temps...

Nous nous sommes séparés au coin de la rue Claude-
525 Decaen, et ils ont continué à chanter jusqu'au pont de la ligne
de petite ceinture. Leurs cris se sont noyés dans le raffut[1] d'un
train, sur les poutrelles.

– Tu sais où on doit aller maintenant, Gocéné ?

Je me suis retourné pour contempler le carrefour. Un auto-
530 car jaune et vert venait juste de stopper devant une guérite[2]. Je
le montrai à Badimoin.

– Les gardiens les ont fait monter dans un camion semblable
à celui-ci... Il va nous y conduire.

Je m'apprêtais à affronter une nouvelle fois le fleuve métal-
535 lique. Badimoin m'a retenu.

– Attends... il y en a un autre qui roule en sens inverse, et
encore un, là, qui tourne dans la petite rue... Et puis, là-bas,
deux qui se croisent...

La fatigue, le découragement m'ont envahi d'un coup. Mon
540 dos a glissé le long d'un réverbère, et je me suis retrouvé assis

---

1. Bruit assourdissant.
2. Petit abri destiné à protéger les
sentinelles de la pluie et du froid ;
ici, il s'agit d'un Abribus.

BIEN LIRE

L. 529-530 : Qu'est-ce que cet « autocar jaune et vert » ?

sur le trottoir, les genoux en angle, la tête entre les mains. J'essayais de remettre de l'ordre dans mes idées quand deux notes obsédantes sont nées dans le lointain... Elles prenaient de l'ampleur à chaque seconde, saturant mon univers sonore, au 545 point de l'occuper tout entier. Je me suis redressé.

— Tu entends ? C'est la police qui approche... Ils ont dû s'apercevoir de notre fuite... On ne peut pas rester là. Il faut aller se cacher.

Nous avons dévalé la petite rue bordée de maisons basses 550 précédées de jardinets, avec en point de mire la gare de ceinture. Un peu plus loin, après le pont où avaient disparu les chanteurs, les premiers immeubles faisaient un rempart contre la clarté naissante. Nous nous sommes jetés dans une ruelle aux pavés disjoints, attirés par la musique qui venait d'un café. Il a 555 fallu calmer les battements du cœur, le souffle, arranger nos coiffures, nos vêtements avant d'oser pousser la porte vitrée. Nous sommes demeurés un bon moment dans l'entrée, entre une montagne de casiers à vin et un perroquet surchargé de manteaux, de vestes, de chapeaux. Cela faisait longtemps que 560 nous n'avions pas eu aussi chaud. Un vieillard juché sur un tabouret haut jouait de l'accordéon en sourdine. L'un des serveurs, un plateau garni de bouteilles, de verres et d'assiettes

---

BIEN LIRE

L. 546-548 : Trouvez une expression qui caractérise leur situation.

L. 558 : Qu'est-ce qu'un « perroquet » dans ce contexte ?

vides en équilibre sur la paume, a fini par s'approcher de nous.
Il a toisé Badimoin de la tête aux pieds, et son regard est
565 remonté le long de mon corps.

– Bonjour, messieurs... C'est seulement pour boire ou pour
manger ?

C'était la première fois que nous pénétrions dans un restaurant blanc, et celui-là, en plus, ne se trouvait pas n'importe où,
570 mais à Paris !

– Nous avons un peu faim... Merci... On peut aller s'instal-
ler au fond ?

– Bien entendu, suivez-moi.

Le garçon a tourné les talons, posé son plateau sur le zinc[1],
575 au passage, et nous a placés dans un recoin, près d'une salle où
des habitués jouaient au billard. Le silence s'est fait sur notre
passage, l'observation insistante. Il a lissé la nappe vichy, dis-
posé assiettes, verres et couverts et sorti un carnet, un crayon de
la poche de son tablier.

580 – En plat du jour et de la nuit, je peux vous proposer des
moules au vin blanc, façon marinière, ou le couscous d'Abd el-
Kader au bouillon gras. Sinon, on a des viandes grillées, à la
carte...

– Du couscous, pour tous les deux, et beaucoup d'eau.

---

1. Métal blanc ; nom familier donné
au comptoir fait dans ce métal.

BIEN LIRE

**L. 576 : Ce « silence » est-il hostile ?
Que marque-t-il plutôt ?**

585 Il est reparti en criant : « Deux Abdel et un château Lapompe. » Nous sommes restés assez dubitatifs à l'arrivée des plats. Il nous a encouragés à manger.

– Vous pouvez y aller en confiance. Le cuistot a passé dix ans au Maroc, dans la Légion... Il le prépare comme au pays.

590 Je lui ai souri et j'ai planté ma cuillère dans la semoule. Derrière, les boules d'ivoire s'entrechoquaient.

– Je ne veux pas être indiscret, mais je n'arrive pas à deviner de quel pays vous êtes... Je n'ai pas encore pris le temps d'aller à l'Exposition, ça m'aurait aidé... Le patron dit que vous venez

595 sûrement de Guyane...

J'ai ingurgité[1] les grains imbibés de bouillon.

– Vous pouvez lui dire qu'il a raison. C'est de là qu'on est... De Guyane.

L'accordéoniste s'était levé et il est venu jouer un air triste à

600 pleurer devant notre table. Il fredonnait les paroles, entre ses dents, et je me souviens encore d'une phrase qui revenait sans cesse : « *Nous sommes seuls...* »

Badimoin n'écoutait pas ; le nez pointé vers l'assiette, il enfournait légumes, couscous et morceaux de viande, prenant

605 tout juste le soin de respirer. À la fin de la chanson, alors que le musicien s'éloignait, il s'est redressé, épanoui.

– Il y a des mois que je n'avais pas aussi bien mangé ! Sur le bateau, ça pouvait encore passer, mais ce qu'ils nous donnent au zoo, même nos chiens s'en détournent au pays...

---

1. Avalé avec avidité.

610   L'air de musique avait installé sa nostalgie dans ma tête. J'ai
fermé les yeux.

– Qu'est-ce que tu as, Gocéné? Ça ne va pas?

J'ai avalé un grand verre d'eau, respiré profondément.

– À certains moments, le découragement s'empare de moi. Je
615 me dis que nous ne reverrons jamais notre village, notre tribu…
Alors je fais comme tu viens de le voir, je baisse les paupières…
Les images viennent tout doucement… Fais comme moi,
Badimoin… Regarde, tu vois la piste, au bord du creek? Elle
monte en lacet de Hienghene jusqu'à Tendo. Nous marchons
620 dans l'ombre des pins colonnaires. Les roussettes prennent leur
envol en criant et filent vers la tribu de Trendanite pour prévenir les amis de notre retour. Les femmes se relèvent, dans les
champs d'ignames[1], de taros[2], et nous font des signes de bien-
venue. Tous les enfants des tribus de la montagne nous entou-
625 rent. «Gocéné, Badimoin, c'était comment l'Europe, c'était
comment Paris, c'était comment la France?»

Il a les yeux clos, lui aussi, et il voit.

– Qu'est-ce que tu leur réponds? Tu leur parles du zoo de
l'Exposition coloniale, de l'enlèvement de Minoé?

630   – Non, je leur invente un conte, je leur dis que c'est beau,

---

1. Plantes tropicales dont le tubercule est comestible.
2. Autre genre de plantes tropicales
au tubercule comestible.

BIEN LIRE

**L. 610 : Quel est le sens exact du mot
« nostalgie » ? Cherchez-en
l'étymologie.**

**L. 618-624 : Où, dans le texte, avez-
vous déjà lu cette évocation ?**

que c'est le pays des merveilles, pour ne pas briser leurs rêves...
Mais très tard dans la nuit, alors qu'ils dorment dans les bras de
leurs mères, quand les cendres étouffent les derniers brandons[1],
je raconte, à voix basse, pour les anciens qui ont vu arriver les
635 missionnaires sur la Grande-Terre. Je leur explique qu'on nous
obligeait, hommes et femmes, à danser nus, la taille et les reins
recouverts d'un simple manou[2]. Que nous n'avions pas le droit
de parler entre nous, seulement de grogner comme des bêtes,
pour provoquer les rires des gens, derrière les grilles... Qu'on
640 nous a séparés ainsi qu'on le fait d'une portée de chiots, sans
qu'aucun ne sache où était son frère, sa sœur. Qu'on nous trai-
tait d'anthropophages, de polygames, qu'on insultait les noms
légués par nos ancêtres...

   Le garçon s'était approché de notre table. Il a mouillé la
645 pointe de son crayon, pour faire l'addition. Il a récapitulé ce
qu'il nous avait servi et a posé entre nous deux, sur la nappe
vichy, la feuille arrachée à son carnet.

   – On ne va pas tarder à fermer...

   – Nous allions partir... Tenez.

650 J'ai sorti du portefeuille déterré par Badimoin devant la
porte de la grande case deux larges billets sur lesquels me sont
revenues quelques pièces jaunes.

---

1. Braises.
2. Pièce de tissu.

BIEN LIRE

L. 631 : Quels « rêves » la France et Paris peuvent-ils susciter chez les enfants des tribus ?

Nous avons déserté la salle presque vide. L'accordéoniste logeait dans une caisse son instrument plaintif, calé contre
655 l'évier le légionnaire faisait la vaisselle, le patron jetait des poignées de sciure sur le sol, tandis que sa femme vérifiait la recette. Le tonnerre s'est mis à gronder lorsque j'ai poussé la porte, une bourrasque[1] a soulevé la poussière des trottoirs, et les premières gouttes se sont écrasées sur les pavés, laissant des
660 empreintes grosses comme des pièces de monnaie. Nous étions à peine dehors qu'un nouvel éclair a déchiré le ciel. La ruelle n'offrait aucun abri. Nous nous sommes résolus à courir sous le déluge, sans trop savoir où nous menaient nos pas. Une rue, puis une autre, et une autre encore, jusqu'à retrouver l'avenue
665 qui faisait face à l'Exposition coloniale. La pluie commençait à transpercer le tissu trop mince de nos vêtements. J'ai entraîné Badimoin vers des escaliers qui s'enfonçaient dans le sol. Il s'est arrêté net, ses chaussures en équilibre sur le nez de la première marche. Je me suis retourné.

670 – Viens te mettre à l'abri...

Il a remué la tête, pris de tremblements. Les passants, tête rentrée dans les épaules, le bousculaient en maugréant[2].

– Je n'ai pas le droit d'aller sous terre...

---

1. Brusque coup de vent de courte durée.
2. En protestant, en grognant.

BIEN LIRE

L. 653-657 : Quelle atmosphère se dégage de ce lieu ? En quoi exacerbe-t-elle le sentiment de nostalgie ?
L. 671 : Quelle sorte de peur est cause de ces «tremblements» ?

Je lui ai tendu la main.

675   – Viens, je te dis ! Le froid va te prendre... Tu vas tomber malade.

    – Tu te souviens de Nehewoué qui vivait avec les morts qui dorment dans les branches des banians et les morts qui dorment sous la terre ?

680   Je l'ai tiré par la manche.

    – Bien sûr que je m'en souviens. J'ai gratté avec lui le crâne et les ossements de mes oncles... Tu me raconteras un peu plus bas, à l'abri... Allez...

    Rien n'y a fait. J'ai fini par grimper près de lui. Il a tourné 685 vers moi son visage ruisselant d'eau.

    – Il m'a dit qu'il avait vu le jour où les montagnes noires se sont fendues comme une noix de coco sous la pierre. La tempête mugissait plus fort que mille bœufs sauvages, le sol tremblait plus fort encore que mes mains. Des abîmes s'ouvraient sous les 690 pas, appelant leurs victimes. Toute la tribu s'est réfugiée dans une grotte de corail qui surplombait le village et où reposaient les morts, depuis toujours. Nehewoué ne les a pas suivis. Il est resté dans la vallée. Pour lui, seuls les morts pouvaient demander asile aux vivants. Il s'est attaché au poteau central de la 695 grande case. Le cyclone a tout détruit, sauf cette poutre, et l'eau

BIEN LIRE

L. 695 : « Le cyclone a tout détruit, sauf cette poutre. » Quel mot peut caractériser ce phénomène ?

est montée jusqu'à ses épaules. Quand le ciel s'est assagi, les montagnes noires s'étaient déchirées, comme des feuilles de bananier séchées, et leurs fragments énormes avaient comblé la grotte de corail, ensevelissant tous les siens... C'est ce jour-là que
700 Nehewoué est devenu le gardien des morts qui dorment dans les branches des banians et des morts qui dorment sous la terre...

Je l'ai pris par les épaules, pour l'obliger à se retourner vers l'esplanade de Reuilly.

– Où vois-tu les montagnes noires ? Où vois-tu les banians,
705 la grotte de corail ? Et cette petite pousse de vent, tu appelles ça un cyclone ? Viens, on va se reposer, le temps que la pluie cesse de tomber...

Il s'est laissé faire. Je l'ai senti se figer à nouveau quand un vacarme assourdissant est monté des profondeurs. À vrai dire,
710 j'ai moi-même eu un mouvement de recul mais il était impossible de repartir en arrière : nous étions pris dans une foule humide, impatiente d'échapper au déluge. Un couloir voûté recouvert de céramique blanche menait à une vaste salle violemment éclairée au milieu de laquelle trônait une sorte de
715 petite maison. Les gens venaient y faire la queue avant de descendre d'autres marches. C'est de là que montait le bruit. Nous avons suivi le mouvement. Un homme habillé de bleu, assis sur un strapontin, a tendu la main gauche.

BIEN LIRE L. 709 : Où sont-ils donc descendus ?

– Ticket, s'il vous plaît...

720 – Ticket ! C'est quoi « ticket » ?

Il a relevé le bord de sa casquette avec l'extrémité de la pince qu'il tenait dans son autre main, pour me toiser.

– Pour prendre le métro, il faut un ticket ! Ils en vendent derrière, au guichet...

725 Les gens s'agglutinaient en protestant contre le piétinement que nous leur imposions. Le poinçonneur a capitulé.

– On ne va pas bloquer toute la station, vous n'avez qu'à y aller ! Si vous vous faites arrêter par un contrôleur, tant pis pour vous, je vous aurai prévenus.

730 Nous sommes arrivés sur le quai à l'instant où une rame débouchait du tunnel. Le train a freiné dans un fracas métallique assourdissant. Des gerbes d'étincelles illuminaient la fosse dans laquelle il glissait. Toutes les portes se sont ouvertes en même temps, et des gens sont descendus, semblables en tout 735 point à ceux qui se pressaient pour monter. Les bancs de bois qui longeaient le mur s'étaient libérés de leurs occupants. Nous nous y sommes installés tandis que la rumeur du métro s'estompait dans le souterrain. Badimoin n'avait plus peur ; il bâillait sans retenue, la tête bloquée dans l'encoignure d'une 740 armoire de matériel. Il n'a pas tardé à s'endormir, et j'ai veillé sur son sommeil le temps qu'une quinzaine de rames de métro se

BIEN LIRE

L. 740-741 : « J'ai veillé sur son sommeil. » Quel rôle Gocéné tient-il ici ?

vident puis s'emplissent de voyageurs. Les gens nous regardaient comme des bêtes curieuses, mais il suffisait que je leur sourie pour qu'en retour leur visage s'éclaire. Un vieil homme est venu
745 s'asseoir près de moi, en attendant son train, et il m'a parlé des Indiens peaux-rouges qu'il avait vus défiler au stade Buffalo derrière William Cody[1], des Araucans mapuches[2], des Esquimaux, des Nubiens[3], des Gauchos argentins, des Pygmées, des Jivaros, que le musée d'Ethnographie du Trocadéro présentait régulière-
750 ment aux Parisiens. À lui aussi j'ai dit que nous venions de Guyane pour ne pas qu'il ait peur de mes dents. Nos vêtements étaient secs, et je me suis décidé à secouer Badimoin.

— Badimoin, tu m'entends ? Réveille-toi...

Il s'est redressé, les yeux grands ouverts, effrayé, incapable de
755 comprendre où il était. Ma présence l'a aussitôt rassuré.

— Il y a longtemps que je dors ?

— Je ne sais pas, la lumière est toujours la même, ici... Écoute, Badimoin... Je n'arrête pas de remuer les mêmes idées dans ma tête. Je crois qu'il n'y a qu'une seule façon de retrou-
760 ver Minoé...

Il s'est penché vers moi. Un balayeur nous a demandé de soulever nos pieds pour ramener vers lui des mégots et des papiers.

---

1. Célèbre aventurier américain (1846-1917) surnommé Buffalo Bill. Après avoir pris part à la guerre de Sécession, il devint chasseur de bisons puis directeur de cirque.
2. Peuple indien du Chili.
3. Habitants de la Nubie, région désertique située en Afrique nord-orientale.

BIEN LIRE

L. 757 : Quel adverbe, opposé à « ici », est sous-entendu ?

– Laquelle ?

65 – Il faut retourner au zoo...

J'ai lu la déception sur ses traits.

– Si c'était pour en arriver là, tu aurais mieux fait de dormir ! Comme moi.

– Laisse-moi terminer. Je n'ai pas dit qu'on allait escalader les 70 grilles en sens inverse pour reprendre nos places de cannibales dans leur village kanak ! Je ne suis pas devenu fou... J'ai réfléchi et je me suis souvenu qu'une personne que nous connaissons sait où les nôtres ont été emmenés...

Il a froncé les sourcils.

75 – Un de nos frères est dans le secret ?

– Non, je te parle du gardien qui accompagnait le grand chef des Blancs... Il ne reste pas avec ses hommes la nuit, dans la cabane. Il arrive avant l'ouverture au public de l'Exposition... Je le voyais passer chaque matin, seul, par le chemin qui longe le 80 marigot des crocodiles. Il faut y aller, dès maintenant, et lui tendre une embuscade. C'est notre seule chance...

Nous avons quitté la station au milieu d'une foule d'ouvriers qui se dirigeaient vers l'esplanade de Reuilly pour procéder aux finitions des pavillons ou réparer ce qui commençait à se détra-85 quer. La pluie avait cessé, et seules quelques branches arrachées

BIEN LIRE — **L. 776-777 : Qui est « le grand chef des Blancs » ?**

aux arbres par les rafales de vent témoignaient de sa violence passée. Des agents de police, képi, cape et bâton blanc, se tenaient au milieu des carrefours et protégeaient les piétons des assauts des voitures. Tout donnait une impression de calme et
790 d'harmonie, mais il me suffisait de voir la couleur de mes mains pour les enfouir aussitôt dans mes poches et rentrer la tête dans mes épaules. Des contrôleurs filtraient l'entrée principale, fouillant les musettes[1], les boîtes à outils, vérifiant les autorisations. Il nous fallut faire un long détour pour les éviter, longer
795 les musées, les bâtiments des officiels et rejoindre la porte de Picpus. Un désert miniature entourait une reproduction de la basilique tripolitaine de Leptis Magna[2] et quelques moulages de monuments d'Érythrée[3], de Cyrénaïque[4]. Un peu plus loin, devant des icebergs en trompe-l'œil, des chiens de traîneau
800 gémissaient sur une banquise peinte, en regardant un ballet laotien qui répétait son spectacle. Une chorale balinaise s'accordait, accompagnée par le son plaintif et irritant que les musiciens tiraient de longues flûtes de roseau. Les cris des animaux que l'on commençait à soigner, à nourrir orientaient notre progres
805 sion. Nous avons traversé la grande pelouse pour approcher du lac Daumesnil, puis franchi une barrière qui interdisait le passage des voitures vers le parc zoologique. Nous devions mainte-

---

1. Petits sacs généralement portés en bandoulière.
2. Célèbre basilique située en Libye.
3. Pays du Nord-Est de l'Afrique.
4. Région orientale de la Libye.

BIEN LIRE

L. 803-805 : À quel moment de la journée sommes-nous ?

nant progresser à l'écart des chemins, dans la broussaille, les herbes hautes, avec l'enclos des pachydermes en ligne de mire.

810 Badimoin s'est arrêté après que nous eûmes dépassé la mare dans laquelle barbotait un couple de rhinocéros à deux cornes.

– Où est-ce qu'on est, Gocéné? Tu es sûr que ce n'est pas dans l'autre sens?

J'ai escaladé le tronc d'un sapin pour me hisser sur la pre-
815 mière branche.

– Tu t'inquiètes pour rien... C'est là-bas. Il y a encore les antilopes, les zèbres, les caméléopards... D'ici on voit la fosse aux lions et le village kanak...

Les oiseaux s'envolaient par dizaines à notre approche, les
820 écureuils grimpaient dans les chênes, jusqu'à un lapin débus-qué[1] par hasard qui fila entre mes jambes. Nous nous sommes installés au sommet d'une bosse qui dominait le marigot des crocodiles ainsi que le chemin de traverse encaissé. La végéta-tion y était dense, composée d'onagres[2], de stellaires[3], de
825 bleuets, d'héliotropes[4]. Nous nous sommes dissimulés derrière le feuillage serré d'un forsythia[5], fascinés par les déplacements insensibles des caïmans et des alligators dans l'eau croupie. Il ne passait personne, sur le sentier, et je me demandais si nous n'avions pas perdu trop de temps. Soudain, Badimoin a serré

1. Sorti de son terrier.
2. Plantes cultivées pour leurs fleurs.
3. Plantes qui ressemblent à des étoiles.
4. Plantes des régions chaudes et tempérées.
5. Arbrisseau à fleurs jaunes.

BIEN LIRE

L. 808 et l. 814 : « Progresser » ; « escaladé »... Quels gestes Gocéné retrouve-t-il ?

830 ses doigts sur mon bras. Un homme approchait en sifflant l'air de *Nénufar*, la marche officielle de l'Exposition coloniale. Nous nous sommes allongés dans l'herbe, le regard pointé sur l'endroit où le passant nous apparaîtrait. J'ai murmuré :

– Il ne faut surtout pas qu'il nous repère... Je vais ramper un
835 peu plus loin en me rapprochant du chemin. Si c'est lui, je lui saute dessus, et tu viens te placer derrière pour lui couper toute retraite...

Je me suis écorché les mains aux épines d'un rosier nain dans ma progression vers l'endroit qui me semblait être le plus favo-
840 rable pour l'attaque. En relevant la tête, j'ai reconnu le gardien-chef, celui-là même qui avait procédé à l'appel de ceux qui devaient partir pour Paris. Vêtu de son uniforme, il marchait en balançant les épaules au rythme de la chanson, et un pas sur deux, la gamelle qu'il tenait à bout de bras tapait sur son genou
845 avec un bruit mat. Il a dépassé le forsythia qui cachait Badimoin, sans se douter de rien. Mon ventre, ma poitrine se sont décollés de la terre, mes muscles se sont durcis, tendus comme le bois d'un arc... J'ai bloqué mon souffle et sauté en silence au moment précis où sa casquette émergeait devant mes
850 yeux. D'abord mes mains l'ont atteint aux épaules, puis le poids de mon corps s'est abattu sur lui. Nous avons roulé dans les

BIEN LIRE   **L. 846-848 : À quel animal Gocéné est-il associé ?**

taillis. Il était beaucoup plus vigoureux que je ne l'imaginais et il est parvenu à se relever avant moi. Le surveillant s'apprêtait à me frapper du pied quand Badimoin a pris la relève. Il l'a cein-
855 turé. Le gardien a tenté de crier, de porter à ses lèvres le sifflet qui pendait à son cou. Je l'ai contourné pour éviter ses ruades[1] et j'ai plaqué ma paume sur sa bouche.

– Tu vas te taire, à la fin ! Si tu n'essaies pas de t'échapper, si tu ne hurles pas, on ne te fera pas de mal... On veut seulement
860 parler avec toi. Tu vas venir avec nous sans faire d'histoires...

Il a marmonné contre ma main, en roulant des yeux et en relevant ses sourcils. Badimoin a assuré sa prise, puis il l'a obligé à escalader le monticule. Nous nous sommes arrêtés à l'autre extrémité du relief qui formait une sorte de terrasse naturelle au-
865 dessus du marigot. On entendait distinctement les clapotements, les respirations inquiétantes, les claquements de mâchoires des sauriens[2] affamés. J'ai fait glisser ma main, libérant ses lèvres.

– Qu'est-ce que vous me voulez, tous les deux ? Vous vous croyez dans votre jungle !
870 Badimoin qui lui interdisait tout mouvement s'est penché à son oreille :

– Si ça n'avait tenu qu'à nous, on y serait restés...

J'ai capté son regard.

---

1. Ici, coups portés avec les jambes.
2. Famille de reptiles ; ici, les caïmans et les alligators.

BIEN LIRE

L. 856 : Quel animal donne habituellement des « ruades » ?

— Je veux savoir où vous avez emmené les nôtres.

875   Il a souri en inclinant la tête vers l'arrière.

— Ils sont à côté... Ils se tiennent tranquilles ; c'est vous deux qui êtes partis.

Je l'ai pris par le col, nos nez se sont touchés.

— Je te parle de Minoé et des autres sœurs, des autres frères.

880 Tous ceux que vous avez obligés à monter dans le camion jaune et vert... Où sont-ils ?

— Je n'ai rien à dire.

Badimoin l'a projeté au sol en lui fauchant les pieds. Il l'a plaqué, un genou sur le thorax, et lui a pris les poignets.

885   — Attrape-le par les jambes, Gocéné... On va voir s'il continue à faire le malin quand il va se balancer au-dessus des crocodiles...

Je l'avais rarement connu aussi déterminé.

— Regarde-les, en bas... Ils n'ont pas encore mangé ce matin. Ils ouvrent des gueules plus grandes que celles des requins

890 blancs de la mer de Corail. Tu es prêt ? On soulève...

Le gardien-chef n'a même pas essayé de se débattre.

— Vous êtes complètement dingues ! Vous n'oserez pas...

Nous avons entrepris d'imprimer des mouvements de balançoire à son corps en augmentant l'amplitude à chaque retour. Il

895 se mettait à hurler dès qu'il apercevait les roseaux, la boue lardée d'empreintes.

BIEN LIRE

L. 885-890 : À quel type de roman cette scène fait-elle penser ?
L. 891-911 : Quel type de méthode Badimoin et Gocéné utilisent-ils pour faire parler le gardien ?

— Au prochain tour, on te jette !

— Ne me lâchez pas... Je vous en supplie...

Quand il a été au plus haut, j'ai ouvert ma main droite, et
900 Badimoin a fait de même avec la gauche. Nous avions l'habitude de cette manœuvre dont nous usions pour faire peur aux plus turbulents des enfants de la tribu que nous menacions d'un envol depuis un rocher surplombant le creek. Le gardien s'est senti partir. Son cri s'est coincé au fond de sa gorge, et il
905 ne savait pas s'il vivait encore quand nous l'avons reposé sur l'herbe. Nous avons attendu qu'il reprenne sa respiration pour lui empoigner à nouveau les pieds, les mains.

— Non, arrêtez... Lâchez-moi, je vais parler...

Une quinzaine d'alligators et de crocodiles s'étaient rassem-
910 blés en contrebas. Badimoin m'a imité quand j'ai fait décoller le dos du gardien du sol.

— Ne recommencez pas... Je vais tout vous dire...

— On t'écoute, mais attention, on se tient prêts à leur donner à manger si tu essaies de nous mentir. Au moindre doute,
915 tu plonges.

Il s'est mis à parler, tandis que nous le bercions au-dessus des gueules avides et menaçantes.

— J'ai agi sur ordre... Ce n'est pas moi qui ai pris la décision...

BIEN LIRE

L. 918 : « J'ai agi sur ordre... » Quel argument le gardien utilise-t-il pour sa défense ?

M. Grimaut voulait que je sélectionne une trentaine d'indivi-
920　dus de la tribu...

J'ai insensiblement augmenté l'ampleur du mouvement.

– Où est-ce qu'ils sont en ce moment ?

– À Paris... Ils doivent prendre un train cet après-midi à la
gare de l'Est pour aller en Allemagne, à Francfort...

925　Badimoin a élevé la voix.

– En Allemagne ! Eux aussi, ils organisent une Exposition
coloniale ?

– Non, on les emmène travailler dans un cirque, comme
attraction exotique... Les cannibales français... Je n'y suis pour
930　rien. C'est la direction, ceux des bureaux de la porte Dorée qui
ont tout organisé...

– Et pour les coups que j'ai reçus, qui tenait la matraque ?

Les jappements d'un chien nous ont alertés. Nous avons
posé notre fardeau dégoulinant de sueur à terre, le temps qu'un
935　couple de curieux passe dans le sentier. Je me suis agenouillé
près du visage du gardien.

– Je me fiche du haut-commissaire et de tous ceux qui
croient nous offenser en nous traitant comme des animaux. Je
veux connaître toutes les minutes que Minoé a passées hors de
940　mon regard, hors de ma promesse. Tu entends ?

BIEN LIRE

**L. 937-938 : « Qui croient nous offenser. » Que suggère le verbe
croire dans ce contexte ?**

– Je vous l'ai déjà dit... On va les mettre dans un train pour l'Allemagne... Juste avant que l'autobus démarre, j'ai entendu l'adresse que M. Grimaut donnait au chauffeur... Il devait les conduire dans un dortoir de l'Armée du Salut[1]. Celui du bou-
945 levard de la Chapelle...

Le regard de Badimoin a croisé le mien.

– C'est loin, le boulevard de la Chapelle ?

– De la porte Dorée, il y en a pour une heure... Il faut descendre à la station Barbès-Rochechouart. C'est juste en face du
950 métro aérien...

Je revoyais Minoé marchant de son pas balancé le long des palétuviers de la mangrove[2], offrant ses membres nus, cuivrés, aux caresses du soleil levant. Elle ressemblait à Kaavo, la fille du chef de Témala, l'héroïne de cette légende que nous racontait
955 le père Grasser, à l'office de Canala... Les poules sultanes et les hérons s'envolaient à son approche, les gouttelettes de rosée, scintillantes comme des perles, roulaient sur sa peau... La voix de Badimoin dissipa ma rêverie.

– Tu as intérêt à rester tranquille et à ne rien dire à personne de
960 ce qui vient de se passer ici. À personne, tu entends ? Avant de te tendre l'embuscade, nous sommes allés voir les guerriers, dans le village kanak... Au premier mot, ils ont le devoir sacré de te tuer.

---

1. Association religieuse qui porte secours aux démunis.
2. Formation végétale que l'on trouve sur certains rivages marins tropicaux et où poussent les palétuviers.

BIEN LIRE

L. 954 : Quelle dimension le personnage de Minoé prend-il ?

Le surveillant a pris appui sur ses mains pour se mettre en position assise. Il nous regardait, incrédule, tout surpris de s'en tirer à
965 si bon compte. Pendant que Badimoin allait ramasser la gamelle tombée lors de l'assaut, je me suis saisi d'une grosse branche qui traînait dans l'herbe. Le gardien-chef s'est protégé le crâne, persuadé que sa dernière heure était arrivée. J'ai visé la nuque, frappant juste assez fort pour l'assommer, puis nous sommes repartis
970 vers les boulevards en mangeant la cuisse et le blanc de poulet, les haricots verts, dont il aurait dû faire son ordinaire.

Un violent brassage d'air nous oblige à lever les yeux au ciel. Sans un mot, Wathiock pointe du doigt le dôme des kaoris. Par les béances du feuillage, un gendarme en short, assis les jambes dans le
975 *vide, nous observe à la jumelle depuis un hélicoptère en sustentation[1]. Kali lui adresse un bras d'honneur, puis s'en désintéresse. Il verse l'eau d'une bouteille en plastique dans la bouilloire aux flancs noircis qu'il repose sur le feu. Ils savent maintenant à quoi s'en tenir sur le barrage, ceux de Nouméa. L'alouette guerrière reprend*
980 *de l'altitude, vire et semble plonger dans la baie.*

Une fois encore, nous avons traversé l'Exposition qu'envahissaient de nouvelles cohortes[2] de visiteurs. Autour du grand

---

1. En équilibre au-dessus du sol.
2. Troupes, colonnes en marche.

BIEN LIRE

L. 979 : « L'alouette guerrière. » Quel est l'effet créé par cette métaphore ?

lac, les guinguettes[1] ouvraient leurs volets, les cuisiniers éplu-
chaient les pommes de terre, on alignait les bouteilles de mous-
seux entre les pains de glace, on préparait la pâte à gaufres et les
citronnades. Nous remontions le courant des arrivants, freinés,
bousculés. À la porte Dorée, un adolescent trop vite monté en
graine et déjà dégarni prenait la foule en photo, juché sur le
cadre d'un vélo que son assistant maintenait en équilibre. Je
détournai la tête pour échapper à l'objectif.

Parvenu devant la bouche du métro, Badimoin refusa de se
faire absorber. La peur de la grotte des morts l'avait repris. Je
tentai de le convaincre, sans succès, de descendre les degrés.

– Tu es déjà venu, tout à l'heure... Il n'y a rien d'autre qu'une
gare, qu'un train... Ce sont des hommes qui l'ont construit.
Rien que des hommes...

Ses doigts se crispèrent sur la rambarde.

– Cette nuit, j'étais trop fatigué pour résister... Je ne poserai
pas le pied sur les marches de cet escalier, Gocéné. Tu pourras
me dire tout ce que tu voudras, rien n'y fera... Viens... On n'a
pas besoin du train. Il n'y a pas d'endroit au monde qu'on ne
puisse atteindre par ses propres moyens...

Il m'a regardé avec insistance, et j'ai baissé les yeux. Au fond
de moi, je savais bien qu'il avait raison, mais la hâte de revoir

---

1. Cafés populaires en plein air où
l'on peut danser.

BIEN LIRE

**L. 990 : Pourquoi ne veut-il pas être
photographié ?**

1005 Minoé me poussait à piétiner les croyances. Je me suis approché d'un ouvrier qui allumait une cigarette, le col de sa veste relevé contre le vent.

– Pardon, vous pouvez me dire comment on rejoint Barbès-Rochechouart et le boulevard de la Chapelle, à pied?...

1010 Il a redressé la tête et m'a fixé un bon moment, le temps de rejeter deux ou trois nuages de fumée. Il a pointé le doigt vers sa droite.

– Barbès? Ça va vous faire un drôle de bout de chemin... Ce serait moi, je mettrais le cap direct sur République, Bastille et

1015 gare de l'Est... En deux heures, j'y suis... Vous connaissez un peu Paris?

– Non, pas du tout... Nous sommes venus pour l'Exposition coloniale, et on a promis de rendre visite à la famille...

– Le plus simple, si vous ne voulez pas vous perdre, c'est de

1020 longer les Maréchaux jusqu'à la porte de Clignancourt, et ensuite de plonger droit sur Barbès par le boulevard Ornano. Le problème, c'est que vous risquez d'en avoir pour la moitié de la journée...

Dans tout le quartier de l'Exposition, les fortifications de

1025 Paris avaient été abattues et remplacées par des alignements de cités à bon marché. Plus loin, c'était une succession de chan-

BIEN LIRE

L. 1008-1009 : Repérez, sur un plan de métro, le trajet qui sépare Porte-Dorée de Barbès-Rochechouart.

tiers et de terrains vagues au bout desquels se dressaient les murs des casernes, des bastions. Bientôt, la bande de terre située entre le boulevard où nous marchions et l'ouvrage de défense qui séparait la ville de la banlieue ne fut plus occupée que par un amoncellement sans fin de baraques en tôle ou en bois, de roulottes, de vieux camions, de wagons tordus, de tentes de l'armée. Un peu ce qu'on trouve aujourd'hui vers Ducos et Dumbea, à la sortie de Nouméa... Les squats[1] de la zone... Il s'est mis à faire chaud. Nous nous sommes arrêtés dans une petite boutique en planches encadrée par des palissades, pour boire un verre d'eau. Un vieil homme vacillait près du comptoir. Les pans de son pardessus traînaient dans la sciure. Il exhumait tout un tas d'objets de ses poches et les alignait devant la patronne qui ne disait pas un mot. En sortant, nous avons coupé à travers le bidonville, pour retrouver les Maréchaux[2]. Un incendie avait détruit quelques maisons. Il a fallu marcher sur les plâtras croulants, parmi les fleurs fanées, les napperons, les étagères, les bibelots, les petites cuillères... C'est sûrement là que le vieux avait trouvé ses trésors. La route s'élevait et partageait l'océan de toits gris, de cheminées. Badimoin s'est arrêté pour compter les flèches des églises qui émergeaient de la brume. Il était tout heureux de reconnaître la

1. Habitations occupées illégalement.
2. Boulevards extérieurs de Paris.

BIEN LIRE

L. 1033 : « Aujourd'hui. » De quel présent s'agit-il ici ?
L. 1034 : Donnez un synonyme au mot *squat*.

silhouette du Sacré-Cœur qu'il avait vu sur le livre du curé, à
1050 Canala. Le soleil s'était fixé au zénith quand nous avons traversé
les deux canaux pour atteindre le quartier des boucheries et des
gazomètres[1]. Les arbres étaient gris, poussiéreux, l'air saturé de
vapeurs, de chimies, de cris métalliques... Le sol tremblait sous
nos pieds au passage des convois sur les lignes, en contrebas.
1055 Trois heures sonnaient à Notre-Dame-de-Clignancourt lorsque
nous nous sommes accordé quelques minutes de repos sur le
premier banc du boulevard Barbès, près d'une fabrique de
meubles.

La rue descendait en pente douce vers le cœur de Paris, inter-
1060 dit au regard par la passerelle du métro aérien. Les passants
levaient la tête, attirés par une musique dont les échos reve-
naient par vagues dans le tumulte de la circulation automobile.
Au carrefour, la foule faisait cercle autour d'un orchestre de
cuivres en uniforme bleu. Les hommes, trompettes et cymbales,
1065 se tenaient à droite, tandis que les femmes habillées de même
couleur chantaient, à gauche, les louanges du Seigneur que
reprenaient quelques badauds. Un gamin, casquette et veste à
boutons dorés, sillonnait les rangs des curieux. Il agitait un
tronc d'une main et brandissait le journal *Cri de guerre* de
1070 l'autre. Je glissai une pièce de monnaie dans la tirelire quand un

---

1. Grands réservoirs de
gaz.

BIEN LIRE

L. 1050 : Quelle heure est-il ?

L. 1051 : De quels canaux parisiens s'agit-il ?

**L. 1069 : Avez-vous déjà vu des vendeurs de
journaux dans la rue ?**

groupe situé face à moi se disloqua, découvrant la plaque vissée près de l'entrée d'un immeuble : *Armée du Salut*. Deux de leurs soldats se tenaient de part et d'autre de la porte. Mon coude frotta les côtes de Badimoin.

75 – Regarde, c'est là que le gardien a dit qu'ils les avaient emmenés... Il faut trouver un moyen de pénétrer à l'intérieur.

Badimoin se faufila entre les gens agglutinés. Il me fit signe de le rejoindre pour me montrer un passage étroit qui séparait le bâtiment de la devanture d'une quincaillerie.

80 – On va essayer par ici, Gocéné. J'ai l'impression qu'il n'y a personne pour le moment... Passe devant, vite !

Nous avons gagné les caves par une courte rampe fortement inclinée. Entre le local des poubelles et les réserves de charbon, une échelle de meunier permettait d'accéder au couloir du
85 rez-de-chaussée au bout duquel les deux soldats de Dieu montaient la garde. Je le traversai sur la pointe des pieds et grimpai les premières marches de l'escalier principal, aussitôt imité par Badimoin. Malgré toutes nos précautions, le bois craquait sous nos pas, mais la musique venait à notre secours. Une cuisine
90 et un réfectoire occupaient le premier étage. Au niveau supérieur, deux portes ouvraient sur des dortoirs aussi vastes que vides, l'un pour les hommes, l'autre pour les femmes. Épuisé,

---

BIEN LIRE

L. 1080-1081 : Cherchez le sens de l'expression « entrer par effraction ». S'applique-t-elle ici ?

L. 1085 : « Soldats de Dieu. » Quel sens donnez-vous au mot *soldat* ?

découragé, je me laissai tomber sur un lit de fer. Badimoin vint s'asseoir sur le bord du matelas.

1095   — Comment savoir si c'est bien là qu'on les a enfermés ? De toute façon, on arrive trop tard. Tu crois qu'ils sont déjà partis en Allemagne ?

C'est en me redressant pour m'adosser au montant métallique que je vis le minuscule morceau de tissu multicolore atta-
1100 ché à la poignée de la fenêtre, près d'un portrait de William Booth, le fondateur de l'Armée du Salut. Je me levai, dénouai l'enlacement pour porter le linge à mon visage.

   — Minoé était bien retenue dans cette pièce. Regarde, elle a déchiré un bout du manou qu'elle portait autour de la taille et
1105 que son père lui avait offert lors de la cérémonie des adieux, à Canala. Elle n'a pas perdu espoir, elle savait que j'allais venir...
Il faut maintenant que...

Je m'arrêtai au milieu de ma phrase. Dans l'encadrement de la porte, le contre-jour découpait la silhouette d'un des soldats.
1110   — Qu'est-ce que vous foutez là, tous les deux ! Vous n'êtes pas partis avec les autres ?

Il commit l'erreur de se retourner pour demander de l'aide. Badimoin était sur lui alors qu'il n'avait même pas fini de faire pivoter sa tête. Il le jeta à terre d'un coup d'épaule, et je l'en-
1115 jambai pour me lancer dans les escaliers. Le gars qui nous avait

BIEN LIRE

L. 1102 : À quel champ lexical peut appartenir le mot « enlacement » ?

surpris hurlait tout ce qu'il savait, alertant ses collègues que nous entendions monter à notre rencontre. Badimoin tomba nez à nez avec eux sur le palier du premier étage. Il repoussa l'attaque à coups de pied, précipitant un assaillant au bas des
1120 marches, mais d'autres faisaient front, armés de bâtons. Je le tirai par la manche.

– Viens, ils sont trop nombreux !

Nous nous sommes mis à courir à travers le réfectoire en renversant les tables, les chaises dans lesquelles nos poursuivants
1125 s'empêtraient. La cuisine a subi le même sort. Badimoin s'amusait à lancer les couverts, par poignées, puis les verres, les assiettes, tandis que je faisais tomber les plats, les chariots, que je basculais les marmites pleines de soupe, d'huile de friture... Je suis monté sur la cuisinière et j'ai ouvert la fenêtre qui surplombait une cour
1130 où des enfants jouaient à la marelle. Badimoin a sauté le premier, près de la case du paradis, puis je l'ai rejoint après avoir jeté un dernier coup d'œil aux soldats de Dieu qui patinaient dans la soupe populaire. Le temps qu'ils envoient des renforts, nous nous étions déjà mêlés à la foule des boulevards, aux nouveaux venus
1135 qui affluaient de la station Barbès-Rochechouart. L'un d'eux nous a dit de suivre la ligne du métro aérien et de traverser deux ponts pour nous rapprocher de la gare de l'Est. Le trottoir longeait les hauts murs d'un hôpital. Quelques ouvertures protégées

BIEN LIRE

L. 1131 : Qu'est-ce que « la case du paradis » ?

de grilles montraient des jardins laissés à l'abandon. Dans une
1140 cour, des rescapés des tranchées, coincés dans leurs voiturettes
d'hommes-troncs[1], réchauffaient leurs cicatrices au soleil. Nous
avons franchi les lignes du chemin de fer, dans la fumée grise des
convois. Au loin, d'immenses verrières recouvraient les quais où
stationnaient, haletants, les trains en partance. Quand nous
1145 sommes arrivés sur l'esplanade, des centaines de soldats attendaient l'ordre du départ, assis sur leur paquetage, absorbés par le
spectacle du carrefour, les manœuvres des tramways. Des totems[2]
à figures de femmes étaient juchés au sommet des piliers qui soutenaient le toit de la gare. J'ai poussé la lourde porte vitrée, et le
1150 tumulte a submergé la rumeur confuse et sourde, cette palpita-
tion, ce souffle des rues de Paris. Comme si nous étions entrés
dans une ruche de métal et de verre dont la reine aurait pris la
forme d'une locomotive Pacific, suante, suintante, boursouflée,
vers laquelle convergeraient des milliers d'insectes chargés de
1155 valises ou de paquets. J'ai voulu reculer, saisi du même trouble
que Badimoin quelques heures plus tôt devant la bouche assom-
brie du métro, mais la pression des voyageurs m'a obligé à franchir le sas. Nous nous sommes réfugiés derrière un kiosque à

1. Hommes qui ont perdu leurs
jambes, qui sont réduits à un tronc.
2. Sculptures rituelles qui repré-
sentent l'être sacré, protecteur
d'une tribu.

BIEN LIRE

**L. 1140 : De quelles «tranchées»
s'agit-il ? Reportez-vous à votre
programme d'histoire.**

**L. 1153 : Nous sommes en 1931. À quelle
énergie les locomotives fonctionnaient-
elles à cette époque ?**

journaux pour essayer de comprendre dans quel monde nous étions tombés. Toute cette multitude de piétons, de porteurs traçait sa route de manière décidée, s'enchevêtrant sans jamais se heurter, et j'étais fasciné par l'harmonie qui naissait du chaos[1]. Soudain une voix en bouillie est sortie d'un haut-parleur accroché au-dessus d'un alignement de guichets. Les mots se cognaient aux montants métalliques, au ciel de verre, et je fus incapable d'en saisir la moindre syllabe. Badimoin approcha ses lèvres de mon oreille pour me parler :

– Il y a des trains partout... Encore plus qu'à Marseille. Comment on va savoir dans lequel ils ont mis nos frères ?

– J'espère surtout qu'ils sont encore là et que le leur n'est pas encore parti.

Une femme passait, tenant un enfant à chaque main. Je me suis placé sur son chemin. Elle a tenté de m'éviter, mais le jeune garçon qui marchait à sa droite s'est arrêté pour me dévisager. Il s'est blotti contre sa mère.

– Maman, regarde, il est pareil qu'au zoo...

– Fulbert, tu te tais ! Je t'ai pourtant dit quelque chose !

Elle a rougi, et son regard a croisé le mien l'obligeant à me parler :

– Excusez-le, monsieur, c'est un enfant...

---

1. Désordre originel, néant.

BIEN LIRE

L. 1178 : Pourquoi rougit-elle de la remarque de son fils ?

– Ce n'est rien... Je voulais vous demander où se trouve le train pour Francfort, en Allemagne ?

Elle a levé une main pour me montrer le tableau suspendu sous l'horloge, entraînant le bras du gamin vers le haut.

1185 – Tous les départs sont annoncés sur ce panneau.

J'ai cligné des yeux, ridé mon front.

– Je n'arrive pas à lire, madame, j'ai mal aux yeux, c'est trop petit...

Elle se disposait à repartir, mais je crois qu'elle s'était rendu
1190 compte que je ne savais pas lire. Elle a incliné la tête vers l'arrière.

– Longwy, voie numéro deux... Reims, voie numéro quatre... Metz-Forbach-Sarrebruck... C'est celui-là, il y a un changement et il repart ensuite pour Francfort... Voie numéro cinq,
1195 départ à treize heures cinquante... Dépêchez-vous, vous allez le manquer, il s'apprête à quitter la gare...

Badimoin se mit à crier en agitant les bras :

– Elle est où, la voie numéro cinq ?

– Juste devant, c'est la locomotive qui vient de siffler...

1200 Il me prit par le bras et m'entraîna. Nous courions droit devant nous, bousculant les gens sur notre passage, sautant par-dessus les bagages posés à terre. La motrice se trouvait encore

BIEN LIRE   **L. 1189-1191 : De quelles qualités cette femme fait-elle preuve ?**

sous les verrières, et la vapeur de l'effort, rabattue par le vent, envahissait les quais. La respiration de la machine, d'abord
1205 laborieuse, ahanante, trouvait déjà son rythme. La traction faisait grincer l'armature des wagons, les essieux. Je tentai de suivre la cadence de la machine, pour me porter à la hauteur de la dernière voiture. J'eus le temps d'apercevoir la silhouette d'un frère, entre deux contrôleurs, avant que le quai ne se
1210 dérobe sous mes pas. Je chutai sur le ballast[1] et m'écorchai les bras, les paumes, le front, aux cailloux coupants du remblai. Badimoin sauta pour venir s'agenouiller à mes côtés.

— Tu t'es fait mal ?

Il me fallut du temps pour reprendre mon souffle.

1215 — Ils étaient dans ce train... J'ai reconnu Willy Karembeu, qu'on appelait aussi Dashimwa, juste avant de tomber...

— Tout ce qu'on a fait n'a servi à rien. On ne les reverra plus jamais...

Je me suis redressé.

1220 — Tu n'as pas le droit de dire des choses pareilles. Je retrouverai Minoé, même si je dois sillonner le monde jusqu'à mon dernier jour. Il y a peut-être un autre train qui part pour l'Allemagne...

Je venais d'escalader le quai pour retourner vers la gare quand

---

1. Pierres sur lesquelles reposent les traverses de la voie ferrée.

BIEN LIRE

L. 1215 : Connaissez-vous ce nom de famille ? Pourquoi le retrouve-t-on ici ?
L. 1220-1221 : Quelle valeur donnez-vous au futur « je retrouverai » ?

1225 des roulements de sifflet ont commencé à retentir sous la ver-
rière. Quatre policiers fonçaient droit sur nous, le blanc aveu-
glant de leurs matraques se détachait sur le revers des pèlerines
déployées comme des ailes noires. Badimoin, derrière moi,
avait les yeux à hauteur du sol.

1230 　– Qu'est-ce que c'est ?

Je me laissai glisser près de lui.

– La police ! C'est nous qu'ils cherchent, il n'y a aucun
doute... Le gardien de l'Exposition coloniale a dû leur dire où
nous allions... Viens !

1235 Nous avons fui en longeant les rails sur lesquels venaient de
passer les wagons emportant les nôtres. La faim me tenaillait, et
par moments j'avais l'impression que je n'arriverais pas à faire
une enjambée de plus. Ce n'était pas mon corps qui me donnait la force de sauter de traverse en traverse, mais la peur d'être

1240 rattrapé par les hommes en uniforme. Des cheminots qui répa-
raient un aiguillage ont relevé la tête à notre passage, une locomotive solitaire nous a frôlés en poussant un cri aigu, un séma-
phore[1] a croisé ses bras d'acier au-dessus de nos têtes... Nous
nous sommes rapprochés des grilles pointues qui enserraient les

1245 voies. Badimoin bifurqua vers un mur de soutènement en réparation, flanqué d'un échafaudage de planches de bois, sur trois

---

1. Mât muni de bras qui sert de
signalisation.

BIEN LIRE

**L. 1233-1234 : Reportez-vous aux pages
61-62.**

étages. Malgré la fatigue, ce fut un jeu d'enfant de nous hisser
au niveau supérieur, de faire tomber le bardage[1] de bois afin de
contrarier la progression de nos poursuivants, et de bondir par-
1250 dessus les pointes acérées pour nous retrouver dans une rue qui
surplombait les installations ferroviaires. Les clients attablés à la
terrasse d'un café d'où sortait une musique aux accents orien-
taux ne perdaient pas un seul de nos gestes et voyaient, dans
notre dos, émerger les képis des policiers. Une bouche de métro
1255 s'offrait à nos pas. Je pris Badimoin par le bras et le forçai à
dévaler les marches malgré ses protestations. Des ampoules
jaunes éclairaient faiblement la voûte recouverte de céramique
blanche qui renvoyait les échos sonores et les reflets flous de
notre fuite. Le couloir débouchait sur une sorte de rotonde
1260 d'où partaient trois galeries semblables à celle que nous venions
d'emprunter. J'hésitai un instant, mais la cavalcade qu'accom-
pagnaient les stridences des sifflets emplissait maintenant tout
l'espace. Je me décidai pour le passage de gauche qui, partant
en courbe, allait rapidement nous dissimuler aux regards. En
1265 sortant du virage, Badimoin ne vit pas le seau posé par terre et
se prit les pieds dedans. L'Africain qui passait une serpillière sur
le sol l'empêcha de justesse de s'écraser le nez par terre. Il pointa
le doigt vers la rotonde[2].

---

1. Planches disposées autour d'un
ouvrage (ici, le mur en réparation)
afin de le protéger.
2. Espace circulaire où se garent les
locomotives.

BIEN LIRE

**L. 1255-1256 : Pour quelle raison
Badimoin ne veut-il pas descendre
dans le métro ?**

– C'est vous qu'ils cherchent ?

1270   Je hochai la tête. Il ramassa son matériel de nettoyage, sortit un trousseau de sa poche de blouse et nous fit signe de le suivre. Il s'arrêta devant une porte peinte en gris et tourna la poignée de cuivre. Elle s'ouvrit en couinant.

– Entrez par ici... Je suis le seul à avoir la clef de ce débarras,
1275   c'est chez moi. Ils ne vous trouveront pas...

Nous avons hésité une fraction de seconde, mais nous n'avions pas le choix. J'eus à peine le temps d'apercevoir une table, un tabouret, et le robinet fiché dans le mur que l'Africain claquait la porte, bloquait la serrure, nous plongeant dans l'obs-
1280   curité la plus totale. Le local empestait le Crésyl[1], la poussière humide et le renfermé. Le sang me cognait aux tempes. Je demeurai immobile, faisant des efforts gigantesques pour domestiquer le rythme de mes poumons, persuadé que mes ins-pirations haletantes s'entendaient sous la voûte. Ils s'appro-
1285   chaient en ralentissant leur course. Le martèlement des semelles se faisait plus distinct, adoptant la cadence de la marche. Deux ou trois hommes piétinèrent dans l'eau renversée par Badimoin, puis firent halte à quelques mètres de notre refuge.

– D'ici, on voit jusqu'à l'escalier... Je n'ai pas l'impression
1290   qu'ils soient passés par là...

---

1. Solution désinfectante utilisée pour le nettoyage des sols.

BIEN LIRE

L. 1278 : Badimoin et Gocéné sont noirs. Mais sont-ils africains ?

L. 1289-1305 : Qui sont les locuteurs de ce dialogue ?

– Il vaut mieux pousser jusqu'aux marches... ça mène sur le quai numéro deux... On monte jeter un coup d'œil avant de rejoindre les collègues sur la ligne de la Villette... Je serai plus tranquille...

Ils se remirent en mouvement et, au moment où ils passaient
295 devant la pièce, l'un d'eux s'immobilisa.

– Attendez... Il y a une porte, là... Ils se sont peut-être planqués dans le local des femmes de ménage.

J'écarquillai les yeux dans le noir, serrai les mâchoires, les poings, les muscles durcis, prêt à bondir si le mécanisme d'ou-
300 verture claquait sous la pression exercée par sa main.

La poignée s'agita dans le vide.

– Tu vois bien que c'est bouclé ! Il n'y a personne là-dedans. Elles travaillent toutes dans les couloirs à cette heure-ci... Restez là. Je pousse jusqu'au bout, je grimpe sur le quai, et après on
305 retourne à la rotonde...

Nous l'avons entendu faire l'aller-retour, puis nous sommes demeurés de très longues minutes, figés comme des statues, à écouter décroître leurs pas dans la galerie. Le sol a tremblé au passage d'un métro. L'Africain a bougé le premier. Il a longue-
310 ment toussé quand il a voulu parler :

– Attention, je vais allumer la lumière...

C'est à peine si nous avons été éblouis. La clarté jaune que jetait l'ampoule nue était absorbée par la peinture terne et grise des murs du recoin dans lequel nous nous tenions debout. Il
315 nous a présenté sa main.

– Je m'appelle Fofana, et vous êtes ici chez vous...

– Moi, c'est Gocéné, et lui, c'est Badimoin... Merci pour ce que tu as fait... On était à bout de forces ; sans toi, ils nous auraient attrapés...

1320 Il a pris une carafe et s'est baissé pour la remplir au robinet. Il s'est relevé en essayant de maîtriser une nouvelle quinte de toux.

– Vous avez faim ? J'ai un peu de riz et de la soupe...

Badimoin s'est approché de lui.

1325 – La police nous recherche, mais nous ne sommes pas des criminels... C'est une histoire très compliquée... Nous avons seulement...

Fofana l'a interrompu :

– Je t'ai demandé si tu avais faim... C'est ça que je veux 1330 savoir. Rien d'autre.

Une nouvelle rame a fait vibrer le sol. J'ai tiré un tabouret et je me suis assis.

– Faim et soif... On n'a rien avalé depuis ce matin.

Il a posé sur la table deux gamelles en aluminium sorties d'un 1335 placard où pendaient quelques vêtements. Il a soulevé les couvercles.

– Vous pouvez tout finir, j'ai déjà mangé.

BIEN LIRE

L. 1318 : Que marque le tutoiement ?
L. 1337 : Qualifiez l'attitude de Fofana.

Je me suis relevé pour aller me passer les mains sous l'eau, puis j'ai roulé une première boulette de riz sous mes doigts et
340 je l'ai trempée dans la soupe. Badimoin s'était saisi d'une cuillère qui ne cessait de faire la navette entre le récipient et sa bouche. Il n'a même pas attendu d'avoir tout avalé pour poser la question qui nous brûlait les lèvres :

– On voudrait prendre un train pour Francfort, en
345 Allemagne... Tu sais s'il y en a un, bientôt ?

L'Africain s'est adossé à la porte derrière laquelle on entendait, par vagues, le piétinement des voyageurs.

– Vous avez loupé celui de tout à l'heure, c'est ça ?

Il a toussé avant de poursuivre, sans avoir besoin de notre
350 confirmation :

– C'est fini pour cette semaine. Le prochain départ est pour dans trois jours. Exactement à la même heure. Je ne voudrais pas me mêler de ce qui ne me regarde pas, mais comme les flics ont l'air de savoir que vous cherchez à grimper dans ce train,
355 j'essaierais de trouver un autre moyen... Sinon, ils vont vous pincer à coup sûr... Personne ne fait attention à un nègre qui balaie les couloirs, mais moi je vois beaucoup de choses... Méfiez-vous ! ils sont malins, ils se déguisent en civils pour arrêter les malheureux...

1360   Je me suis servi un grand verre d'eau.

– On ne peut pas patienter pendant trois jours. C'est pire qu'une éternité. Ils ont emmené plusieurs dizaines des nôtres en Allemagne, mais nous ne savons pas où exactement. Notre seule chance de les retrouver, c'est de rattraper ce train. 1365 Comment peut-on faire, Fofana ? Il doit y avoir des camions, des autobus qui vont là-bas...

Il a remué la tête.

– Non, il n'en existe pas... Vous pouvez rester cachés ici pendant ces trois jours. Le chef ne vient jamais, il passe son temps 1370 dans les cafés de Château-Landon. Je vous apporterai de quoi manger. En réfléchissant, on découvrira bien un moyen de vous faire monter dans l'express au nez et à la barbe des policiers...

Badimoin a bu les dernières gouttes de soupe, la tête inclinée vers l'arrière, à même la gamelle.

1375   – Tout le monde nous court après, et toi, tu nous aides. Pourquoi ? Tu ne nous connais pas, tu ne sais rien de nous...

Des enfants sont passés en chahutant de l'autre côté de la cloison. Fofana s'est raclé la gorge pour s'éclaircir la voix, puis il a souri.

1380   – On a un peu la même couleur, bien que vous ne veniez pas d'Afrique, et quand des Noirs sont poursuivis par des policiers, je ne sais pas pourquoi, je suis du côté des Noirs... Moi, je suis sénégalais. Je suis né en Casamance. Presque tous les jeunes de mon village sont morts à Verdun. À cause des gaz... Les soldats 1385 blancs ne voulaient plus monter à l'assaut, et c'est à nous, les

tirailleurs des troupes coloniales, que le général a demandé de sauver la France. On s'est dégagés de la boue des tranchées au petit matin, sans masques, poussés par la police militaire et les gendarmes qui étaient protégés, eux, et qui abattaient les frères
1390 qui essayaient de fuir le nuage de mort... Je me suis jeté dans un trou d'obus. Il y avait un cadavre. Je me suis barbouillé avec son sang et j'ai fait comme si j'avais été touché... Le nuage planait au-dessus de moi... Je n'en ai respiré qu'un peu... Cela fait qua-torze ans que je suis sorti de ce trou, mais le souvenir est tou-
1395 jours là, devant mes yeux. Il est devenu mille fois plus précis quand je vous ai vus courir devant les policiers... Il va falloir que je reparte travailler... Qu'est-ce que vous faites : vous restez ?

Il a essayé de retenir la quinte de toux, mais les spasmes[1] ont été les plus forts. J'ai attendu qu'il parvienne à respirer normale-
1400 ment.

– On ne te remerciera jamais assez pour ton geste, Fofana. Pourtant, il nous est impossible d'accepter ton hospitalité. Ce matin, nous étions à l'Exposition coloniale où on nous a par-qués avec les bêtes sauvages et nous devons y retourner.
1405 Quelqu'un, là-bas, a décidé de déchirer notre groupe, de dési-gner ceux qui prendraient le train pour l'Allemagne. Il faut le trouver et qu'il nous dise où ils sont.

---

1. Contractions convulsives d'un ou de plusieurs muscles (ici, provo-quées par la toux).

BIEN LIRE

L. 1390 : « Le nuage de mort. » Que désigne cette métaphore ?

L. 1398-1399 : Quelle cause donneriez-vous à cette toux ?

Badimoin s'est approché de la porte.

– Il est temps de partir. C'est très long... Quatre heures de
1410 marche...

– Vous êtes venus à pied depuis la porte Dorée ? Pourquoi
vous n'avez pas pris le métro ? Il y en a pour moins d'une heure !

J'ai regardé Badimoin droit dans les yeux. Il a baissé les paupières.

1415 – C'est la première fois qu'on vient en ville. Tout est trop
compliqué, on ne sait pas comment ça marche.

Fofana a glissé la clef dans la serrure. Il a entrebâillé la porte
pour jeter un coup d'œil dans le couloir et s'est tourné vers
nous.

1420 – La voie est libre... Suivez-moi, je vais vous accompagner
jusqu'à Vincennes.

*Wathiock pose sa main sur mon épaule et me fait signe de me
taire. Kali s'est penché pour prendre son fusil et, accroupi, il se met
à progresser vers la ligne des pins colonnaires. J'ai beau tendre*
1425 *l'oreille, scruter la végétation, rien ne vient expliquer pourquoi les
deux occupants du barrage se sont soudain mis en alerte. Je sais
pourtant que, quelque part, quelqu'un s'approche. Deux oiseaux
s'envolent au-dessus des fougères arborescentes, et Kali braque son*

BIEN LIRE   **L. 1413-1432 : Quel lien peut-on établir entre le texte en caractères
romains (l. 1413-1421) et le texte en caractères italiques
(l. 1422-1432) ?**

arme sur l'homme dont on ne distingue encore que la silhouette.
1430 *Wathiock s'est déplacé vers la droite, pour le prendre à revers. Il le*
tient en joue, le doigt sur la détente. L'inconnu est à découvert. Il
lève sa carabine dont le canon accroche un rayon de soleil.

– C'est moi, c'est Sebèthié... Ne tirez pas...

Kali le connaît, il vient du village construit près de la mangrove.
1435 *Le Kanak s'approche. Un convoi – trois camions et cinq Jeeps –*
descendu de Pouébo, a dispersé trois barrages et se dirige vers
Hienghene. Les gendarmes progressent lentement et ne devraient
pas atteindre notre position avant la fin d'après-midi. Les ordres
sont clairs : les retarder le plus possible mais ne pas leur opposer de
1440 *résistance. Sebèthié refuse le verre de thé que Wathiock lui propose.*
Il lui reste deux groupes à prévenir, sur la route de Touho. Nous le
regardons s'éloigner vers le feuillage dans lequel, bientôt, il se fond.

Fofana arpentait le couloir à grandes enjambées. Fatigués,
alourdis par le repas, nous trottinions pour essayer de rester
1445 dans son sillage. Il fendait la multitude, ondulant, sans jamais
heurter la moindre épaule. Sa tête frisée qui semblait flotter au-
dessus des casquettes, des chapeaux nous servait de repère. Il
s'est arrêté pour nous attendre, quelques mètres avant la guérite
du poinçonneur, et nous a remis un ticket à chacun. Il m'a fallu

BIEN LIRE

L. 1445 : Quel est le sens de « multitude » ?
L. 1449 : Par quoi les poinçonneurs ont-ils été remplacés ?

1450 beaucoup de temps pour comprendre par quel miracle une simple perforation dans un rectangle de carton donnait le droit de voyager sous Paris. Il nous a entraînés au bout du quai.

– On change à Bastille. Ça nous fera gagner du temps : et la correspondance se trouve à hauteur de la dernière voiture...

1455 Les gens se retournaient sur notre passage. Des regards surpris, amusés, quelques grimaces de mépris. Badimoin s'est collé contre la voûte, quand la rame s'est annoncée dans le tunnel par un fracas d'enfer. On est restés debout, entre les banquettes de bois, nos trois poings serrés autour de la barre de métal brillant.

1460 Les wagons projetaient leur lumière sur les parois sombres, éclairant tout au long de leur progression et à intervalles réguliers des dessins de bouteilles et des mots peints dans des espaces blanchis. Les couloirs de la station Bastille ressemblaient comme des frères jumeaux à ceux de Château-Landon,

1465 mais en dix fois plus long. Fofana traçait sa route avec sûreté dans ce dédale recouvert de céramique livide. Il paraissait être tout aussi à son aise dans cet univers que nous, quelques semaines plus tôt, dans les forêts du col des Roussettes, de Nindiah ou de Houaïlou. Nous sommes montés dans un autre

1470 métro, identique à celui que nous avions quitté dix minutes auparavant et qui, au premier abord, transportait les mêmes

---

BIEN LIRE

L. 1456-1457 : Comment comprenez-vous « s'est collé contre la voûte » ?

voyageurs renfrognés[1]. Les mêmes bouteilles tracées sur fond blanc rythmèrent l'avance du train dans le même tunnel. Fofana nous laissa au pied d'un escalier, il toussa, leva son bras
475 vers la clarté naturelle qui faisait briller les éclats de mica des marches supérieures.

– Il ne vous reste plus qu'à monter et vous êtes devant l'esplanade de l'Exposition... Moi, il faut que je me dépêche de retourner vers gare de l'Est pour finir mon travail avant que le
480 chef ne fasse sa tournée de contrôle... Si vous avez besoin de moi, vous savez où me trouver. Que Dieu vous accompagne.

Nous nous sommes longuement serré la main, sans un mot, puis il a tourné les talons pour se perdre dans la cohue. Le soleil déclinant inondait les façades, les vitres des immeubles d'une
485 lumière vive et orangée qui nous obligea à fermer les yeux. C'est en les rouvrant que je reconnus la vaste esplanade que nous avions traversée, après notre évasion, dans le sillage des visiteurs alcoolisés, et la rue barrée par le pont du chemin de fer de ceinture qui menait au restaurant où nous avions mangé un cous-
490 cous en écoutant les plaintes de l'accordéon. Nous avons franchi le boulevard, plus dangereux encore qu'un lagon infesté de requins. Les gens se pressaient en rangs serrés vers les guichets de l'Exposition. Un orchestre juché sur une estrade accompa-

---

1. Aux visages fermés, hostiles.

BIEN LIRE

L. 1482 : Que traduit le silence ?
L. 1486-1487 : « Que nous avions traversée. » Quel est ce temps ? Rappelez sa valeur.

gnait un chanteur habillé d'un costume à grosses rayures, coiffé
1495 d'un canotier, et de nombreuses voix reprenaient le refrain de
sa chanson orientale :

> *Tout Bizerte la connaissait,*
> *Harbi, Loubia, Couscous, Barka ;*
> *Fleur de Figuier on l'appelait,*
> 1500 *Barka, Couscous, Harbi, Loubia...*

Nous avons franchi l'enceinte sans éveiller l'attention des
contrôleurs. J'ai entraîné Badimoin vers une grande pelouse sur
laquelle des enfants déguisés en marins jouaient au ballon.

— Il faut absolument qu'on se repose... Je suis épuisé.
1505 Personne ne viendra nous chercher là-bas, sous les arbres... On
attendra que la nuit tombe.

— Tu as une idée, Gocéné ?

Je me suis allongé sur l'herbe, dans le recoin formé par deux
taillis.

1510 — Le début seulement... Elle est dans un coin de ma tête, et
il faut que je la laisse grandir. Réveille-moi dès qu'il fera
sombre...

Il a insisté.

BIEN LIRE

L. 1503 : Quel est ici le sens de l'adjectif « déguisés » ?
L. 1511 : Quelle vertu prête-t-on au sommeil ?

— Je suis certain que tu veux te venger du gardien... Celui que
515 nous avons obligé à nous dire où ils avaient emmené nos
frères... C'est lui qui a prévenu la police... C'est ça ?

— À quoi ça nous servirait ? Il est sorti de mon esprit depuis
très longtemps. Il n'a plus rien à nous apprendre.

Je regardais les troncs, le lacis des branches, la dentelle du
520 feuillage à travers laquelle perçaient les rayons de soleil. J'ai
essayé de réfléchir mais mon esprit s'envolait dès qu'un oiseau
passait dans le ciel. Puis tout s'est mis à vaciller, à tournoyer...
J'ai perdu pied, le sommeil m'a englouti. Quand j'ai rouvert les
yeux, longtemps après, la lune dessinait l'ombre des nuages sur
525 l'étendue déserte qui nous entourait. Badimoin était assis en
tailleur près de moi, le visage illuminé par un sourire. Je me suis
vivement redressé.

— Je t'avais demandé de me réveiller ! Pourquoi tu ris ?

Il m'a tendu une bouteille emplie d'eau et une pomme.

530 — Tu avais besoin de dormir... Je suis resté près de toi et je ne
me suis pas ennuyé une seconde. Je t'ai écouté... Tu cherchais
Minoé...

J'ai ressenti une drôle d'impression. Un mélange de honte et
de fierté.

1535 — Qu'est-ce que j'ai dit ?

BIEN LIRE

L. 1528 : À quel registre de langue appartient cette interrogative ?
L. 1530-1532 : Pourquoi ne s'est-il pas « ennuyé » ?

– Rien. Tu courais après les trains, tu te battais avec ses ravisseurs, et tu l'as retrouvée juste avant de te réveiller...

Je lui ai pris les mains.

– On n'a pas le droit d'écouter les rêves des autres... Je n'ai
1540 rien dit de plus ?

– Tu as parlé de Canala, du champ d'ignames et de taros que ton père sera obligé de cultiver sans ton aide... Plusieurs fois, tu as prononcé le nom de Nkegny, le petit chef d'une des tribus sur la piste de Moindou, celui qui avait un bras et une jambe
1545 en moins. Je crois qu'il est mort l'année dernière...

Badimoin m'a observé tandis que je croquais dans la pomme. Il a insisté.

– On trouve plein de choses. Les gens les jettent... Il y a du pain et un peu de viande. Du poulet. Tu le connaissais bien,
1550 Nkegny ?

J'ai croqué les pépins un à un, en les déplaçant dans ma bouche avec le bout de la langue.

– Non... Souviens-toi, il faisait exprès de nous faire peur quand nous étions enfants, en nous montrant son moignon[1]...
1555 C'est sûrement Fofana qui m'a fait penser à lui. Nkegny était venu en France pour se battre contre les Allemands, dans les tranchées. Le pasteur m'a raconté que mille Kanak et mille

---

1. Extrémité d'un membre coupé.

BIEN LIRE

L. 1548-1549 : « On trouve plein de choses. » À quoi Badimoin fait-il allusion ?

Caldoches ont pris le bateau, habillés en soldats. Il y a eu des centaines de morts, des centaines de blessés... Quand les anciens parlaient d'eux, ils leur donnaient le nom d'un de nos arbres : le niaouli... À l'école du jeudi, on nous apprenait une récitation...

J'ai commencé à prononcer le premier vers, et la voix de Badimoin s'est superposée à la mienne dès le deuxième :

Ils ont souffert, les Niaoulis,
Après avoir quitté leur terre,
Loin du foyer, loin de leur mère,
Longtemps bercés par le roulis,
En attendant d'être à la guerre,
Longtemps bercés et mal nourris,
Ils ont subi la peine amère
De n'avoir pas été compris.

J'ai pris ma tête dans mes mains, pour masquer mon trouble. Les mots ont buté sur mes paumes.

– Il y a une suite... *Au champ d'honneur et de vaillance... Le grand Joffre*[1] *embrasse les Niaoulis...* Je ne me rappelle plus...

– Moi non plus, Gocéné... Le jour va bientôt se lever. Qu'est-ce qu'on va faire ? Tu as réfléchi à quelque chose ?

---

1. Maréchal de France (1852-1931), vainqueur de la première bataille de la Marne (1914), il fut nommé commandant en chef des armées françaises en 1915. Il est le théoricien de « l'offensive à tout prix ».

BIEN LIRE

L. 1560 : Pourquoi donner à ces hommes le nom d'un arbre ?

L. 1576-1577 : Qui, dans le couple Badimoin-Gocéné, est le plus souvent à l'initiative ?

Un lion a rugi dans le lointain, provoquant la réponse des
tigres, des hyènes, des éléphants.

1580   – Quand on passe près de l'entrée de l'Exposition, tu as
remarqué le grand bâtiment en pierre blanche ?

– Celui qui a des étages en forme d'escalier et qui est décoré
de serpents, de poissons, de chasseurs et de pêcheurs ?

J'ai ramassé un morceau de bois pour tracer dans la terre le
1585   plan de la porte Dorée.

– Oui. Juste derrière, au milieu d'une petite clairière proté-
gée par des haies, il y a une autre maison, plus petite avec un
toit pointu. Elle est toujours gardée par des hommes armés.
C'est là qu'habitent les grands chefs du gardien. Il nous l'a dit
1590   quand on le balançait au-dessus du marigot des crocodiles. Ce
sont eux qui ont décidé d'envoyer Minoé en Allemagne. Et s'ils
savent faire partir des trains, ils ont dû apprendre aussi à les
faire revenir ! Il faut aller les voir.

– Tu as un plan pour entrer sans que les policiers nous voient ?
1595   – Pas encore.

Je me lavais, agenouillé au bord du lac, quand les haut-parleurs ont diffusé *Nénufar*, l'hymne officiel qui chaque matin
annonçait l'ouverture de l'Exposition au public. Nous nous
sommes postés, avec les provisions glanées par Badimoin, der-
1600   rière le pavillon de Madagascar, près d'une halte du petit train
circulaire qui empruntait la route des fortifications. Le commissariat général se trouvait juste en face de nous, au bout

d'une allée bordée d'ormes et de platanes. Les policiers, au nombre de cinq, se mirent en faction devant l'entrée principale vers huit heures, un peu avant l'arrivée de tous ceux qui travaillaient dans le bâtiment. Les personnes qui se présentaient devaient leur montrer des papiers d'identité, un laissez-passer. Seuls deux hommes descendus d'une voiture noire purent accéder aux marches du perron sans fouiller dans leurs poches. Badimoin se pencha à mon oreille :

– Ce sont eux les chefs. C'est impossible de les approcher…

Je ne l'écoutais plus, intrigué par le comportement de deux hommes et d'une femme. Ils venaient de bloquer la route de la Côte des Somalis en déplaçant plusieurs grosses boîtes à ordures en travers du passage. Les rangs serrés de visiteurs venaient buter contre l'obstacle, et quand ils estimèrent que la foule avait assez grossi, les deux hommes aidèrent la jeune femme à se hisser sur l'une des poubelles. Tout le monde imaginait que le numéro faisait partie du spectacle d'ensemble, et le silence parvint à s'établir. Elle dégrafa le bouton supérieur de son corsage pour prendre une feuille de papier glissée contre sa poitrine. Elle la déplia et commença à lire d'une voix forte et claire.

– *Vous tous qui dites « hommes de couleur », seriez-vous donc des*

L. 1603-1604 : Comment justifier cette présence de la police ?
L. 1624 : « *Vous tous…* » À qui cette harangue s'adresse-t-elle ?

BIEN LIRE

1625 *hommes sans couleur ? La présence, sur l'estrade inaugurale de*
l'Exposition coloniale, du président de la République, de l'empe-
reur d'Annam, du cardinal-archevêque de Paris et de plusieurs
gouverneurs et soudards[1] *en face du pavillon des missionnaires, de*
ceux de Citroën et de Renault exprime clairement la complicité de
1630 *la bourgeoisie tout entière avec la Grande-France ! Il n'est pas de*
semaine où l'on ne tue pas, aux Colonies ! Cette foire – ce Luna-
Park exotique – a été organisée pour étouffer l'écho des fusillades
lointaines... Ici on rit, on s'amuse, on chante La Cabane bam-
bou... *Au Maroc, au Liban, en Afrique centrale, on assassine. En*
1635 *bleu, en blanc, en rouge...*

La surprise des premières phrases dissipée, des remous
avaient agité les gens assemblés, puis des cris avaient fusé, des
insultes. Des énergumènes tentaient de renverser les boîtes à
ordures, et les deux amis de l'oratrice[2] avaient le plus grand mal
1640 à résister à la pression. Elle n'en continuait pas moins son discours :

– *Les Lyautey, les Dumesnil, les Doumer qui tiennent le haut*
du pavé aujourd'hui dans cette France du Moulin-Rouge n'en sont
plus à un carnaval de squelettes près...

1645 Les premiers projectiles volèrent au-dessus de la barricade
improvisée, attirant l'attention des policiers qui gardaient le

---

1. Terme péjoratif pour désigner des
soldats violents et brutaux.
2. Féminin d'*orateur* : personne qui
prononce un discours devant une
assemblée.

BIEN LIRE

L. 1633 : Quels mots s'opposent à
l'adverbe « ici » ?
L. 1645 : Qui est la cible de ces
« projectiles » ?

commissariat général. Ils discutèrent, et trois d'entre eux se dirigèrent droit sur la femme qui vacillait[1] sur son estrade. On échangeait des coups parmi les spectateurs, certains ayant pris
1650 le parti de la perturbatrice. L'arrivée des policiers ne réussit qu'à grossir les rangs des sympathisants, et les gardiens furent vite contraints de siffler de toute la force de leurs poumons pour appeler leurs collègues à la rescousse. Un grand brun moustachu avait réussi à saisir la femme par un pied, à la faire glisser
1655 en bas de la poubelle. Il tentait de la bâillonner avec sa grosse patte velue, sans parvenir à contenir le flot des paroles de révolte :

– *Travailleurs parisiens ! Solidarité avec le genre humain ! Ne visitez pas l'Exposition colonialiste ! Refusez d'être les complices des*
1660 *fusilleurs...*

Les contrôleurs de la porte Dorée, venus prêter main-forte aux gardiens de la paix, arrivaient en renfort, écartant les badauds. Je me relevai.

– C'est le moment ou jamais, Badimoin ! Il n'y a plus per-
1665 sonne devant l'entrée du commissariat général...

Nous avons traversé la route des fortifications et longé un petit massif boisé au milieu duquel avait été aménagée une volière peuplée d'oiseaux du Pacifique. Badimoin a laissé sa

---

1. Qui perdait son équilibre.

BIEN LIRE

L. 1659 : Quelle différence faites-vous entre les adjectifs *colonial* et *colonialiste* ?

main glisser le long de la carrosserie de la grosse Hotchkiss
1670 garée sous les fleurs lourdes d'un magnolia. Nos pas, maintenant, crissaient sur le gravier de l'allée, et nous nous tenions
tête baissée pour ne pas dévoiler nos traits aux employés accou-
dés aux fenêtres qui observaient en riant le spectacle de l'arres-
tation des révoltés. La porte, percée d'un judas grillagé de
1675 cuivre, était restée entrouverte. Je la poussai pour accéder à un
long corridor aux murs tendus de papier japonais et décorés
d'armes de chasse. Il y avait des sagaies, des casse-tête, des
hachettes, des arcs, et même un poignard de sacrifice en pierre
de jade... Au bout du couloir, deux escaliers, qui naissaient des
1680 mêmes marches, menaient aux étages supérieurs. Badimoin prit
à gauche, moi à droite, mais à peine arrivés sur le palier, l'irruption d'un homme nous força à nous replier. Au travers des
montants qui soutenaient la rampe, je reconnus Grimaut. C'est
lui qui était venu dans notre enclos aider les gardiens à procé-
1685 der à la sélection des frères qui devaient partir en Allemagne.
C'est lui qui avait pointé Minoé du doigt. Le poids de son
corps faisait craquer les lames du plancher. Un homme jeune
que je n'avais jamais vu vint à sa rencontre.

   – On m'a dit qu'il y avait eu des incidents près du pavillon
1690 des Indes françaises. Vous êtes au courant, Laubreaux ?

   – Oui, c'était une communiste qui haranguait la foule... Sa
tentative n'a pas duré plus de deux minutes. Elle a été emmenée

au commissariat en compagnie de ses complices. Je voulais également vous informer que les deux cannibales déserteurs ont été
1695 vus dans le quartier de la gare de l'Est. Leur capture est imminente.

Grimaut le remercia pour toutes ces bonnes nouvelles. Il reprit
sa marche, s'arrêta devant une porte capitonnée et appuya sur
une sonnette. Il y eut un déclic, et il faisait encore pression sur le
1700 battant que j'avais déjà franchi la distance qui nous séparait. Je le
poussai violemment dans la pièce, entrai à mon tour suivi de
Badimoin qui eut la présence d'esprit de refermer la porte pour
étouffer ses cris de protestation. Grimaut était tombé à quatre
pattes. Il ramassait ses papiers éparpillés sur le plancher. Albert
1705 Pontevigne, le haut-commissaire, s'était dressé derrière le bureau,
les mains crispées sur les accoudoirs de son fauteuil. Les derniers
accords de *La Fille du bédouin* s'évanouirent, et la voix grave d'un
speaker fit trembler le haut-parleur du poste de radio :

– *L'Exposition coloniale inspire décidément les artistes français.*
1710 *Dans quelques jours, nos enfants pourront suivre la première his-*
toire de Babar, un tendre éléphanteau dont la mère a été tuée par
un chasseur. Prisonnier dans un cirque, il s'enfuit à travers la
ville...

J'ai tourné la molette. Le grand chef blanc s'est mis à hurler :

BIEN LIRE
L. 1693 : Que suggère le mot « complices » ?
L. 1699-1700 : Quel mot est en corrélation avec l'adverbe « encore » ?

1715   — Je ne vous ai pas demandé d'éteindre cette radio. De quel droit ! Et d'abord, qui vous a permis d'entrer ici ?

Grimaut s'était relevé avec ses papiers en ordre dispersé. Je l'écartai d'un coup sur l'épaule pour faire face à son supérieur.

— Nous ne sommes pas venus pour répondre à tes questions, 1720 mais pour t'en poser...

Ses lèvres tremblaient. Il bafouilla :

— Vous pourriez me parler avec davantage de respect...

Badimoin se porta à ma hauteur.

— Le respect, chez nous en pays kanak, il ne vient pas à la 1725 naissance comme la couleur des yeux. Il se mérite tout au long de la vie. Quand nous sommes partis de Nouméa, on nous a promis que pendant notre séjour à Paris nous resterions toujours ensemble. Que nous serions libres de nos mouvements...

Chacun de ses mots exprimait ma pensée, et c'était comme 1730 s'il venait les prendre sur mes lèvres.

— Au lieu de cela, nous sommes restés dans le froid, sans vêtements, avec juste un bout de manou autour des hanches. On nous a mis derrière des grilles, comme des bêtes sauvages, entre la fosse aux lions et le marigot des crocodiles... Tout le monde 1735 nous présente comme des cannibales, les enfants nous jettent

BIEN LIRE

L. 1719-1720 : Ce tutoiement a-t-il la même valeur que celui adressé à Fofana ?

L. 1723-1742 : Quel changement notez-vous dans l'attitude de Badimoin ?

des cacahuètes, on prétend que nous vivons avec plusieurs femmes alors que nous sommes tous de fervents catholiques...

L'administrateur a tenté de le calmer.

– Je ne suis pas au courant de toutes ces choses... Mes subor-
740 donnés ne m'en ont jamais parlé ! Il fallait venir m'en avertir plus tôt...

Je l'ai attrapé par le col de sa chemise.

– Tu n'es qu'un menteur ! Je t'ai vu passer devant nos grilles au milieu du cortège qui suivait le président de la République
745 et le maréchal Lyautey... Tu as bien vu que nos compagnes étaient obligées d'exhiber leurs seins, alors que chez nous elles gardent leur robe missionnaire même pour se baigner dans la mer. Les gardiens nous frappent si nous oublions de pousser des cris d'animaux féroces devant les visiteurs ! Ce qu'on nous
750 donne à manger, nos chiens s'en détournent...

– Calmez-vous... Lâchez-moi... Il suffit de discuter ensemble. Il ne sert à rien de s'énerver. Je vais donner des ins-
tructions pour que l'on améliore l'ordinaire et que l'on mette fin aux brimades...

755 J'ai desserré mon poing. Il est retombé sur son fauteuil dans un bruit de coussin dégonflé.

BIEN LIRE

L. 1752-1754 : Comment Grimaut essaie-t-il de s'en sortir ?
L. 1756 : Le coussin est-il le seul à être « dégonflé » ? Pensez-vous que ce jeu de mots soit involontaire ?

— Nous ne sommes pas venus pour ça... Hier, un train est parti pour Francfort, en Allemagne, emportant beaucoup de nos frères, de nos sœurs... Avant de quitter Canala, j'avais fait 1760 le serment devant toute ma tribu de veiller sur Minoé, de ne jamais la quitter des yeux... À cause de vous deux, j'ai rompu ma promesse, et il m'est impossible de retourner devant les miens sans que cette faute soit réparée...

Grimaut a trouvé le courage d'ouvrir la bouche :

1765   — Qu'est-ce que vous proposez ?

Badimoin s'est avancé vers lui, ventre contre ventre.

— Il faut les faire revenir. Immédiatement. Ce qu'on a fait, on doit savoir le défaire.

— Vous croyez que c'est si facile ! Je ne commande pas les 1770 trains...

Le haut-commissaire a tendu la main vers son combiné téléphonique.

— Vous avez raison, Grimaut, nous n'avons pas beaucoup de pouvoir sur les administrateurs des chemins de fer, mais il faut 1775 tout de même essayer. Ils ne devraient pas rester insensibles aux arguments de ces messieurs...

Il a composé un numéro sur son cadran, approché l'appareil de son visage. J'ai perçu le grésillement de la ligne, le déclic du correspondant.

1780 — Allô... Ici le commissariat général de l'Exposition... Bureau du haut-commissaire...

Je me suis précipité sur l'administrateur à son premier hurlement, mais il était déjà trop tard.

— Au secours! Venez vite! Les Canaques sont là... Au secours!

1785 Je lui ai pris le combiné des mains, j'ai tiré le fil, l'arrachant du mur, et j'ai lancé le tout au beau milieu du plan du zoo qui trônait, encadré, au-dessus d'un meuble de classement. La sonnerie d'alarme a pris le relais de l'explosion du sous-verre.

— Tu n'aurais pas dû nous trahir une nouvelle fois. Je voulais
1790 seulement savoir comment retrouver Minoé.

Badimoin a sauté sur le bureau pour prendre le haut-commissaire à la gorge. Ils ont roulé à terre. Les coups pleuvaient. Grimaut me lançait des regards terrorisés.

— Ne me tuez pas... Ayez pitié de moi. J'ai des enfants...

1795 J'ai haussé les épaules en le détaillant de la tête aux pieds.

— Je ne m'attaque qu'aux guerriers. Pourquoi les as-tu envoyés à Francfort, au lieu de les laisser avec nous, dans le village calédonien?

C'est à ce moment qu'il m'a avoué la raison de leur départ,
1800 trop heureux de s'en tirer à si bon compte:

— Tous les crocodiles du marigot étaient morts. Le cirque

BIEN LIRE

L. 1780-1781 : Qui Grimaut essaie-t-il de joindre ?

L. 1790 : Quelle inquiétude l'adverbe « seulement » traduit-il ?

Höffner voulait bien nous prêter les siens, mais seulement en échange d'autant de Canaques...

1805 Des coups de sifflet ont retenti, couvrant le brouhaha qui s'élevait au-dessus du fleuve des visiteurs. Je me suis penché à la fenêtre pour apercevoir une dizaine de policiers qui prenaient position autour du bâtiment tandis que plusieurs autres s'apprêtaient à y entrer en force.

— Ils nous attendent en bas, Badimoin, mais ils sont trop 1810 nombreux. Il va falloir faire comme hier, au dortoir du boulevard de la Chapelle...

Nous avons quitté le bureau de l'administrateur, franchi le couloir, pour faire irruption dans une petite pièce occupée par une secrétaire qui s'est mise à pousser de hauts cris. La fenêtre donnait 1815 sur une pelouse et sur les toits plats de la salle de cinéma attenante au musée océanien. J'ai enjambé la balustrade avant de me laisser pendre le long de la façade, les doigts agrippés à la rosace de fer forgé. Je me suis balancé, pour me dégager de la pierre, et je me suis laissé tomber. Badimoin a suivi mon exemple. Il se relevait 1820 quand deux policiers ont débouché de l'allée de service. Leur surprise fut égale à la nôtre. La peur les immobilisa.

— Vite, dépêche-toi, Badimoin... Cours droit devant toi, vers l'Exposition, c'est notre seule chance... Si nous nous perdons, rendez-vous dans la cachette de Fofana...

BIEN LIRE | **L. 1810-1811 : Combien de fois, depuis le début du récit, ont-ils fui ?**

1825 L'un des policiers s'était ressaisi. Il avait dégainé et nous tenait en joue.

– Arrêtez-vous... Mettez les mains en l'air ou je tire...

Nous nous sommes mis à courir droit sur eux, les bousculant au passage. La grande route de la Croix-Rouge charriait des 1830 milliers de personnes, au bout de l'allée. Nous allions l'atteindre quand les coups de feu ont claqué. La terre a giclé devant mes pieds. J'ai ralenti ma course, et c'est alors que Badimoin est venu s'écraser contre mon dos. Sa tête s'est posée sur mon épaule. J'ai senti son souffle sur mon cou.

1835 – Gocéné, j'ai mal... Ils m'ont eu... Gocéné...

Je me suis retourné. Il s'est effondré dans mes bras en même temps que la vie le quittait. Je suis tombé à genoux. Il a accompagné mon mouvement, comme une poupée de chiffon.

– Réveille-toi, Badimoin, je t'en supplie, réveille-toi...

1840 Je l'ai lâché, et il s'est recroquevillé sur le gravier. Son corps avait la forme de celui d'un enfant dans le ventre de sa mère. Les policiers formaient un cercle autour de nous, leurs armes luisaient au soleil, mais je ne les voyais pas, ni eux ni les reflets. J'ai soulevé la tête de Badimoin, pour que nos regards se fon- 1845 dent, une dernière fois. Il était mort sur un sourire. Les mots de chef Céu se sont posés sur mes lèvres :

BIEN LIRE

L. 1828-1829 : Qu'est-ce qui les pousse à ne pas obéir à la sommation ?

Pourquoi le pays est-il sombre ?
Qu'est-ce qui ternit le soleil
Et vient noircir les éclaircies ?
1850   *Le jour hésite entre les nues*
Sans pouvoir vaincre l'obscurité.
Nous fracasserons les nuages,
Nous lacérerons le brouillard...

Quand j'ai relevé le visage, mon front a cogné sur le canon
1855 du pistolet d'un policier. Il croyait sourire mais ses traits affi-
chaient une grimace. J'ai vu le doigt blanchir sur la détente.
J'étais déjà en voyage pour rejoindre Badimoin quand un
homme a rompu le cercle.

— Vous n'avez pas le droit de tirer sur un homme désarmé, sans
1860 défense. J'ignore ce qu'il a fait, mais ça s'appelle un assassinat.

L'arme a dérivé vers lui.

— C'est nouveau, ça... De quoi tu te mêles ?

Il était étrangement calme.

— De ce qui me regarde...

1865 Le policier s'est mis à ricaner.

— Tu n'as pourtant pas l'air de faire partie de la même
famille !

Ça a gloussé dans les rangs des gardiens de la paix, mais

BIEN LIRE

L. 1859-1860 : Dans le langage familier, comment appelle-t-on ce
type d'assassinat ?
L. 1866-1867 : Que signifie cette remarque ?

l'inconnu n'y a pas fait attention. Il s'est avancé, bravant le
danger.

– J'étais au bout de ce chemin, devant le pavillon de
Madagascar, et je vous ai vu abattre cet homme d'une balle
dans le dos... Il ne menaçait personne. Et vous vous apprêtiez à
recommencer...

Les curieux se massaient autour de la pelouse, à distance res-
pectable des hommes en armes qui entreprirent de les faire
refluer.

– Allez, dégagez, dégagez, il n'y a rien à voir...

Un policier en civil, j'ai compris plus tard que c'était le commissaire, a désigné trois gardiens :

– Toi, tu vas me chercher une bâche, pour recouvrir le mort,
et vous deux, vous me passez les menottes au sauvage et vous
lui attachez les jambes bien serrées pour ne pas qu'il nous file
entre les mains...

Puis il s'est tourné vers l'homme qui s'était interposé, l'a toisé.

– Toi, la grande gueule, tu ne perds rien pour attendre. On
t'embarque aussi.

Un fourgon semblable à celui dans lequel on avait chargé la
femme insurgée et ses deux compagnons s'est frayé un chemin au
milieu des visiteurs en actionnant son klaxon. Les portes arrière
se sont ouvertes, et on nous a jetés à l'intérieur comme des sacs.

Un poing s'est écrasé sur la carrosserie.

– C'est bon, roule !

Les policiers se sont assis sur les banquettes, et pendant tout

1895 le voyage j'ai respiré l'odeur du cirage, sur leurs godillots. J'ai rampé sur le plancher métallique, gagnant quelques centimètres pour me porter à la hauteur de mon sauveur.

— Sans vous, je n'existais plus... Ils auraient pu vous tuer, vous aussi... Pourquoi avez-vous fait ça ?

1900 Le fourgon a pilé à l'approche d'un carrefour. Je me suis cogné la tête contre le montant métallique des sièges.

— Je crois que les questions, on se les pose avant... Dans un moment pareil, ce serait le plus sûr moyen de ne rien faire.

Au commissariat on nous a séparés et je ne l'ai revu qu'au 1905 moment du procès. Il a été condamné à trois mois de prison, pour rébellion contre les forces de l'ordre dans l'exercice de leur mission. Moi, je suis resté enfermé pendant quinze mois, à Fresnes. Je suis parti de Marseille sur *Le Chantilly*, plus d'un an après le retour des frères qu'on avait exhibés à l'Exposition colo-1910 niale et dans un cirque, en Allemagne...

BIEN LIRE

L. 1902-1903 : Exprimez de façon plus explicite la pensée de ce « sauveur ».

L. 1908 : « Je suis parti de Marseille. » Pour où ?

Le vent qui se lève sur la baie de Hienghene agite le drapeau de Kanaky, les branches des fougères arborescentes et les larges feuilles des palmiers. Au loin, après la masse sombre des falaises de basalte, les vagues paresseuses rident l'eau blanche du lagon.

5 Kali se penche vers les braises pour allumer sa cigarette. Il tire plusieurs bouffées en silence avant de se décider à parler :

– Dis-moi, grand-père... Celui qui t'a sauvé la vie, à Paris, c'est l'homme qui conduisait la Nissan et qui t'a laissé ici tout à l'heure ?

10 Wathiock ne me regarde pas. Il fait semblant de s'intéresser au vol d'un couple de perruches autour d'un manguier.

– Oui, c'est bien lui... Le vieux qui m'accompagnait et que vous avez chassé...

Kali mordille nerveusement son mégot. Il recrache le tabac 15 qui s'est collé à ses lèvres.

– On ne pouvait pas savoir, sinon on vous aurait laissés passer...

– Le problème, c'est que, si tu nous avais ouvert le barrage, à l'heure qu'il est, tu ne saurais rien de lui !

BIEN LIRE

L. 10 : Pourquoi Wathiock évite-t-il le regard de Gocéné ? Que pensez-vous de ce personnage ? Comment le qualifieriez-vous ?

Je tends mon verre à Wathiock pour qu'il me verse encore
20 un peu de thé. Il entoure l'anse de la bouilloire pour ne pas se
brûler.

— C'était un Caldoche qui visitait l'Exposition ?

J'aspire un peu de liquide sucré.

— Non... Il habitait dans la banlieue parisienne, à Saint-
25 Denis, et travaillait sur les gazomètres du quartier de la Plaine...
Il s'appelle Francis Caroz. Un ouvrier sans histoires, un homme
qui ne supportait pas qu'on tue des innocents, qu'ils soient
noirs ou blancs...

Kali jette son mégot dans les braises, d'une chiquenaude.

30 — Comment vous vous êtes retrouvés tous les deux ici, en
Kanaky ?

— Il y a une quinzaine d'années, j'ai reçu une lettre de France.
Sur l'enveloppe il y avait écrit : *Monsieur Gocéné, tribu de
Canala, Nouvelle-Calédonie.* Un parent est venu me l'apporter
35 jusqu'à Tendo. Ma petite-fille me l'a lue. C'était Francis Caroz.
Il était retraité, et sa femme venait de mourir. Je lui ai répondu.
Il est venu en vacances, pour découvrir notre pays. Le charme
l'a ensorcelé, il n'est jamais reparti.

Je me lève.

BIEN LIRE

L. 22 : Pourquoi celui-ci pense-t-il d'abord à « un Caldoche » ?

40 — Mon histoire est terminée, il faut maintenant que je me remette en route.

Kali et Wathiock m'accompagnent, leurs fusils à la main, alors que je me dirige vers le petit sentier de montagne qui coupe à travers la forêt de niaoulis. Ils se décident à parler 45 presque en même temps :

— Grand-père, il y a une chose que tu as oublié de nous dire...

Je m'arrête pour les regarder. Leurs yeux brillent de malice. Kali se dévoue :

— Et Minoé, la fille du petit chef de Canala, tu l'as revue ?

50 — Elle m'attend là-haut, à Tendo, et avec tout ce qui se passe dans le pays, elle doit commencer à se faire du souci...

Je reprends mon chemin et me retourne une dernière fois avant de passer la crête de la colline. Les deux garçons me font des signes, grimpés sur les arbres couchés du barrage. Il me faut 55 une heure pour atteindre le creek. Je longe les champs d'ignames et de taros de la tribu de Ganem quand deux hélicoptères déchirent le ciel en suivant le tracé du cours d'eau. Je les observe qui plongent vers la baie. Les premiers coups de feu claquent, éparpillant tous les oiseaux de la forêt. Une phrase me 60 revient en tête :

BIEN LIRE L. 50-51 : Gocéné a-t-il finalement manqué à la promesse faite au père de Minoé ?

– Les questions, on se les pose avant... Dans un moment pareil, ce serait le plus sûr moyen de ne rien faire.

Mon corps fait demi-tour.

Après-texte

POUR COMPRENDRE

Lire

1 Relisez le petit texte de Victor Hugo, page 9, puis, cherchez le sens du mot « épigraphe » et celui de l'expression « mettre en exergue ».

2 Identifiez ce petit texte : quelle est la nature de la strophe citée ? Essayez de retrouver la source de cette citation.

3 Quel sens, propre ou figuré, faut-il donner aux « oiseaux » ? aux « chanteurs » ?

4 Toujours page 9, combien de C.O.I. reçoit le verbe « ôtez » ? Par quelle préposition sont-ils introduits ?

5 Quel est le ton employé par Victor Hugo ?

6 À quel type de discours appartient la petite remarque de la page 10 ? Qui l'a rédigée, d'après vous ?

7 Après avoir défini les adjectifs « coloniale » et « paternaliste », expliquez le changement d'orthographe qu'elle évoque.

Écrire

8 Remplacez les C.O.I. de cette petite remarque par d'autres C.O.I. de votre invention, en tenant compte du contexte.

9 Citez un autre fragment du poème de la page 9 qui pourrait être mis en exergue de *Cannibale*. Justifiez votre choix en quelques lignes.

Chercher

10 Faites une fiche sur les accords de Nouméa, signés en mai 1998 (contenu du préambule, question de l'autonomie et du statut par rapport à la France, notions d'indépendantisme et d'anti-indépendantisme, etc.).

11 Au début de certaines œuvres littéraires, on trouve parfois une « dédicace ». Définissez ce mot et recopiez quelques dédicaces célèbres (chez Victor Hugo, Charles Baudelaire ou Jules Vallès, par exemple).

À SAVOIR

LE PARATEXTE

Avant d'amorcer la lecture de *Cannibale*, vous vous êtes arrêté(e) sur les phrases mises en exergue : la citation de Victor Hugo (p. 9) et la question de l'orthographe de l'adjectif « kanak » (p. 10). Ces informations, choisies par l'auteur, indiquent le sens que celui-ci veut donner à son récit et doivent orienter votre lecture. Elles appartiennent au « paratexte », c'est-à-dire à tout ce qui entoure le texte. Ces éléments établissent un « contrat de lecture » entre l'auteur et le lecteur et sont précieux pour éviter les erreurs d'interprétation : ainsi, le ton du quatrain et le lexique de la remarque vous invitent à voir d'emblée, dans ce récit de Daeninckx, une charge contre le colonialisme et la discrimination raciale.

Lire

1 Qui parle ? Par quel pronom est désigné le narrateur ? À qui s'adresse-t-il successivement ?

2 Quel est son âge ? Relevez les indices qui vous ont renseigné(e).

3 En fermant les yeux, quelle époque de sa vie Gocéné retrouve-t-il ? Quel temps verbal marque ce souvenir ?

4 Quels pronoms personnels montrent que Gocéné inscrit son destin individuel dans celui de son peuple ?

5 L'action se situe en Nouvelle-Calédonie, à l'époque contemporaine : relevez les éléments qui définissent ce cadre spatio-temporel.

6 En étudiant les expansions des noms, lignes 6 à 23, caractérisez la beauté de ce paysage mental.

7 Quel événement vient perturber la rêverie esthétique de Caroz et de Gocéné ? Caractérisez le comportement et l'état d'esprit des jeunes Kanaks : qu'est-ce qui force leur respect et les ramène au dialogue ?

8 Montrez comment, par leurs gestes et leurs paroles, Kali et Wathiock invitent leur aîné à raconter son histoire.

Écrire

9 Comme Gocéné, fermez les yeux et décrivez, en une dizaine de lignes, le paysage de votre enfance. Variez les expansions en privilégiant celles qui font appel aux sens de la vue et de l'ouïe ; employez un vocabulaire précis.

10 Racontez la scène du barrage en adoptant le point de vue de Caroz.

11 Pensez-vous que, dans notre culture, les rides sur le front et les mains forcent le respect ? Associons-nous « vieillesse » et « sagesse » ? Sommes-nous toujours prêts à écouter les « anciens » ?

Chercher

12 Cette ouverture fait allusion aux émeutes qui conduisirent au drame de la grotte d'Ouvéa, en 1988 : rappelez brièvement ces événements.

13 Les jeunes Kanaks offrent du thé et des crevettes à Gocéné : connaissez-vous d'autres rites d'hospitalité (dans la culture méditerranéenne, par exemple) ?

À SAVOIR

AUTEUR, NARRATEUR, PERSONNAGE PRINCIPAL

L'*auteur* est la personne réelle qui écrit le roman ; le *personnage principal* est l'acteur des événements qui font progresser le récit. Quant au *narrateur*, il est celui qui raconte. Dans *Cannibale*, l'auteur est l'écrivain Didier Daeninckx, le personnage principal et le narrateur sont réunis en Gocéné.

POUR COMPRENDRE

Lire

1 À quel type de récit renvoie la formule « Il y a très longtemps » (l. 3) ?

2 Pourquoi le qualificatif « mes amis » (l. 15), employé par l'adjoint du gouverneur, entraîne-t-il la méfiance des jeunes Kanaks ?

3 À travers les propos de l'adjoint (l. 19 à 28), étudiez la rhétorique du discours colonialiste : les euphémismes, les rythmes binaires et ternaires, les métonymies...

4 Quel drame survenu à bord du *Ville de Verdun* (l. 29 à 38) montre le mépris de l'équipage à l'égard des passagers kanaks ?

5 Pourquoi le village kanak a-t-il été reconstitué au milieu d'un zoo ? À quoi Gocéné et ses compagnons sont-ils assimilés ?

6 Relevez les verbes qui suggèrent la contrainte et la tromperie (l. 55 à 81).

7 Quel effet le mot « anthropophages » (l. 80) aura-t-il sur le public ?

8 Comment comprenez-vous : « et d'autres qu'il a fallu que je rêve ou que l'on me raconte, pour comprendre » (l. 82-83) ?

9 Qui est désigné par le pronom « vous » (l. 100).

10 « Je devais y faire irruption quelque temps plus tard » (l. 99-100) : comment nomme-t-on ce procédé narratif ?

Écrire

11 Rapportez les propos de l'adjoint (l. 19 à 28) au discours indirect, en commençant par : « Il affirmait que... »

12 Dites, en quelques lignes, ce qui vous impressionne dans le « spectacle » de la ville ?

13 Imaginez et rapportez au discours direct les propos d'un visiteur découvrant la pancarte « anthropophages ».

Chercher

14 À l'aide d'un vieil atlas, retrouvez les lieux cités entre les lignes 90 et 93.

15 Les Kanaks ont-ils réellement été un peuple d'« hommes anthropophages » ?

À SAVOIR

LA RHÉTORIQUE

Au départ, le mot « rhétorique » désigne l'art de bien parler. Dans l'Antiquité, le « rhéteur » est celui qui sait utiliser les figures de style afin de convaincre son auditoire. Aujourd'hui encore, la rhétorique est un art qui vise à la persuasion. Or, cet art peut aussi être employé pour manipuler un destinataire. C'est le cas dans le discours de l'adjoint du gouverneur qui, par son emphase, donne un ton d'évidence à la justification du colonialisme.

Lire

1 Quel indice temporel vous indique que le récit aborde une nouvelle phase ? Quel est le temps verbal employé ? Quelle est sa valeur ?

2 Gocéné, lui aussi, sait captiver son auditoire par de belles figures. Comment appelle-t-on celle qu'il utilise lignes 103 à 112 ?

3 Quelle est l'idée principale de l'intervention du haut-commissaire (l. 109 à 112) ? Comment cette idée est-elle reprise dans la marche officielle (l. 117 à 123) ?

4 Albert Pontevigne est-il totalement serein ?

5 Quel incident vient perturber sa fragile tranquillité ?

6 Pour montrer l'importance de cet incident, le narrateur développe une scène presque théâtrale : repérez certains procédés propres au théâtre et, plus particulièrement, à la comédie.

7 La chute de cette scène est abrupte. Quel effet le narrateur veut-il créer ?

8 Par quel changement typographique le texte marque-t-il le retour à l'époque contemporaine ?

Écrire

9 Réécrivez le texte de la marche officielle (l. 117 à 123) dans le registre soutenu.

10 Imaginez l'argumentation développée par l'adjoint devant les responsables du zoo.

11 Les crocodiles ont-ils été heureux d'être échangés contre des Kanaks ? Rédigez un court dialogue qui montrera le point de vue de deux d'entre eux.

Chercher

12 Quelles différences existent entre les crocodiles, les caïmans et les alligators ?

13 Essayez de trouver un vieux numéro du journal *L'Illustration* et comparez-le à un magazine moderne.

À SAVOIR

LE DISCOURS THÉÂTRAL

Tout le dialogue entre le commissaire et son adjoint (l. 139 à 194) utilise les procédés du *discours théâtral*. On y trouve des didascalies (indications scéniques), des répliques très courtes appelées « stichomythies », une situation de crise que les personnages doivent faire progresser, et plusieurs formes de comique : de situation, de mots (voir l. 180), de caractère (le faux détachement du commissaire).

Cette séquence, que l'on pourrait facilement mettre en scène, rappelle les formes de la comédie bourgeoise traditionnelle : les pièces de Georges Feydeau, d'Eugène Labiche, ou même le théâtre de boulevard.

LA RAFLE

POUR COMPRENDRE

Lire

1 À quelle attraction vous fait penser « le village des cannibales kanaks » ? Relisez les pages 27 à 34 et déterminez l'esprit colonialiste de ce spectacle. Quel procédé de style montre que la France entière y est conviée (pp. 28-30) ?

2 Quel événement vient perturber cette belle organisation ?

3 En quoi Grimaut pratique-t-il encore la tromperie ? Que suggèrent les points de suspension (l. 269-276) ?

4 Pourquoi cette scène évoque-t-elle une rafle ? Étudiez notamment l'expression de la violence physique et verbale.

5 Quel effet crée l'absence de connecteurs logiques ou chronologiques (l. 331-352) ?

6 Étudiez le champ sémantique du mot « obscurité » (l. 351-352).

7 En quoi le passage en italique (l. 353-364) est-il l'écho des événements que Gocéné vient de raconter ?

Écrire

8 Les Kanaks sont tutoyés par le gardien-chef : évoquez par écrit une situation au cours de laquelle vous vous êtes senti(e) humilié(e) d'être tutoyé(e).

9 Les Kanaks obéissent aux ordres : réécrivez la scène en imaginant qu'ils se révoltent.

Chercher

10 Aidé(e) par votre professeur, cherchez des épisodes de l'histoire récente tristement marqués par des rafles policières.

11 Le passage étudié évoque des objets, des croyances de la culture kanake : répertoriez-les. Faites une recherche au sujet des danses rituelles.

À SAVOIR

LE RÉCIT D'UNE EXPÉRIENCE PERSONNELLE

La question 8 vous propose de raconter une expérience personnelle. Pour enrichir votre texte, vous pouvez y intégrer des passages de description et de portrait, des dialogues, pour rapporter les paroles qui vous ont marqué(e), sans oublier les passages d'analyse des sensations et des émotions.

Aidez-vous toujours du texte support si la rédaction suit une lecture méthodique : vous pourrez même en imiter certains procédés.

Pour conclure votre travail, essayez de porter un jugement sur les faits et de dire quel effet cette expérience a eu sur votre formation. Ainsi, vous apprendrez à écrire un texte autobiographique.

POUR COMPRENDRE

Lire

1 Quel sens pourrait-on donner aux cris de tous ces animaux (l. 365-373) ? Par quels autres bruits pourrait-on continuer la série ?

2 Gocéné déclare : « Je dois y aller, dés cette nuit » (l. 389). Dans quelle étape du récit entrons-nous ?

3 Montrez que deux des règnes de la nature (le végétal et l'animal) accompagnent les évadés.

4 Caractérisez l'« animalité » de Gocéné : est-ce celle que les organisateurs de l'exposition ont attribuée aux Kanaks ?

5 Ce récit prend parfois des allures de conte : que peuvent symboliser les « trois routes goudronnées » (l. 459), les « bribes de nacre » (l. 462) et la « paume tendue vers le carrefour » (l. 463-464) ?

Écrire

6 Vous voulez prouver à quelqu'un que vous l'aimez : exprimez au futur simple toutes les promesses que vous pourriez faire pour lui, ou pour elle.

7 Vos parents vous ont interdit une sortie : vous essayez alors de vous « évader » de chez vous. Racontez cette expérience en présentant les obstacles et les aides que vous avez rencontrés.

8 « Les oiseaux assoupis sont tombés comme des pierres » (l. 432-433) : réécrivez cette proposition en changeant le comparant.

Chercher

9 À partir de ce passage, Badimoin accompagne Gocéné dans ses aventures urbaines et forme avec lui un couple. Citez d'autres textes (romans, nouvelles, contes, pièces de théâtre...) qui fonctionnent avec deux personnages principaux, deux héros.

> **À SAVOIR**
>
> **LA PÉRIPHRASE**
>
> Elle exprime en plusieurs mots ce qu'un seul dit habituellement. Ainsi, dans le texte, nous trouvons « la terre de mes ancêtres » (l. 387-388) à la place du mot « patrie ». La *périphrase* a pour effet de porter l'attention sur tel ou tel aspect d'un mot refoulé, d'en réactiver le sens.
>
> **LA COMPARAISON**
>
> Elle rapproche deux réalités en les reliant par un mot appelé outil de comparaison. Elle est construite sur quatre éléments : le *comparé* (objet que l'on compare) ; le *comparant* (objet auquel on compare) ; l'*outil de comparaison* (« comme », « ainsi », « tel »...) ; le *point de comparaison*.
> Ainsi, dans la comparaison « les oiseaux sont tombés comme des pierres », le comparé est « oiseaux », le comparant « pierres », l'outil « comme » et le point de comparaison la ligne de chute.

Lire

1 L'auto qui manque de renverser Badimoin s'arrête près d'une mappemonde où sont dessinées « les possessions françaises » (l. 487-488). Quelles connotations s'attachent à ce mot ?

2 Retracez le parcours de Gocéné et de Badimoin depuis leur arrivée à Paris. Les pages 40-41 évoquent leur premier contact avec la ville et ses habitants. Quels sont les premiers Parisiens qu'ils rencontrent ? Sur quel mode ceux-ci communiquent-ils ? Caractérisez la forme et le contenu de leur discours.

3 Quelle métaphore Gocéné utilise-t-il pour désigner le monde urbain (l. 501-502) ? Déterminez le point de comparaison implicite.

4 Le trafic parisien est désigné par une autre métaphore : Gocéné parle de « véritable fleuve automobile » (l. 504). Relevez les éléments qui filent cette métaphore.

5 Montrez que cet obstacle reste infranchissable. Comment le découragement de Gocéné se manifeste-t-il ?

Écrire

6 Quel est votre point de vue sur la ville ? Avez-vous parfois l'impression, comme Gocéné, que c'est « une jungle de pierre, de métal, de bruit, de danger » (l. 501-502) ? N'oubliez pas d'illustrer votre argumentation à l'aide d'exemples précis empruntés à votre expérience personnelle.

7 Comment se manifeste, chez vous, le découragement ? Par quels signes physiques se traduit-il ? Lui cédez-vous complètement ou le combattez-vous ?

Chercher

8 Où se trouve le temple d'Angkor ?

9 Sur qui règne le rajah ? le sultan ?

À SAVOIR

LA MÉTAPHORE

La *métaphore* est une figure de style très employée. Elle substitue un terme à un autre et une réalité à une autre, sur la base d'une comparaison implicite : ni le comparé, ni l'outil de comparaison ne sont exprimés. Ainsi, l'image « fleuve métallique » (l. 534-535) remplace le mot trafic. La métaphore est dite *filée* si l'image se poursuit dans le texte. Le poète Pierre Reverdy écrivait dans la revue *Nord-Sud*, en mars 1918 : « L'image est une création pure de l'esprit. Elle ne peut naître d'une comparaison mais du rapprochement de deux réalités plus ou moins éloignées. Plus les rapports des deux réalités rapprochées seront lointains et justes, plus l'image sera forte. »

Lire

1 Gocéné restitue par le souvenir la « topographie » du café parisien des années 1930. Relevez, dans toute cette étape, les caractéristiques de ce lieu (décor, personnages, atmosphère sonore, etc.).

2 Pourquoi Gocéné parle-t-il, lui, de « restaurant blanc » (l. 568-569) ?

3 Au début du récit, la rêverie ramène Gocéné vers son enfance : quelle phrase montre que, cette fois-ci, elle anticipe sur son histoire ?

4 C'est la deuxième fois que, de simple narrateur, Gocéné devient conteur. Mais raconte-t-il les mêmes histoires aux enfants et aux anciens ?

5 Quel sentiment veut marquer l'anaphore en « que » (l. 637-643) ?

6 Relevez le lexique dévalorisant (l. 653-660).

Écrire

7 Pour ne pas briser leurs rêves, Gocéné « invente un conte » aux enfants. En fait, il leur ment. Pensez-vous que le mensonge soit le seul recours dans certaines situations ? Acceptez-vous, par exemple, qu'on mente pour ne pas faire souffrir ?

8 Évoquez, par une description rapide, l'atmosphère d'un café de votre ville ou de votre village.

Chercher

9 Quelques photographes, comme Robert Doisneau, Willy Ronis ou Brassaï, ont fixé sur pellicule les cafés parisiens. Comparez leurs photos et les descriptions de l'auteur. Quels points communs observez-vous ?

10 Rappelez le rôle des missionnaires dans la colonisation.

À SAVOIR

LE TRAITEMENT DU TEMPS DANS LE RÉCIT

Le récit peut suivre l'ordre dans lequel se sont déroulés les événements : ainsi, Gocéné, le plus souvent, raconte son aventure parisienne de façon *linéaire*. Mais, dans cette étape, la rêverie lui fait imaginer et vivre à l'avance son retour au village : c'est une *anticipation*. Inversement, au début du roman, elle le ramenait au temps de son enfance : c'était un *retour en arrière*.

Selon l'importance que le narrateur veut accorder aux événements, il peut mettre en valeur certains d'entre eux en développant une scène (comme celle de la rafle), en résumer d'autres par un sommaire (comme le voyage de Nouméa à Paris) et en passer d'autres encore sous silence (on parle alors d'*ellipse*).

POUR COMPRENDRE

Lire

1 Où peuvent mener ces « escaliers qui s'enfonçaient dans le sol » (l. 667) ?

2 À quel interdit Badimoin se trouve-t-il confronté ? Qui dort sous la terre ?

3 Quelle phrase, prononcée par Badimoin, montre que, dans la culture kanake, le mode de transmission de la connaissance est oral ?

4 Quelle nuance sémantique établissez-vous entre ces deux propositions qui évoquent le même phénomène : « Le sol tremblait plus fort encore que mes mains » (l. 688-689) et « Des abîmes s'ouvraient sous les pas, appelant leurs victimes » (l. 689-690) ?

5 Pour Nehewoué, « seuls les morts pouvaient demander asile aux vivants » (l. 693-694) ; continuez son raisonnement en envisageant la conséquence de cette proposition.

6 Quel est le prodige évoqué par le récit de Nehewoué ?

7 Montrez que le regard des deux Kanaks transfigure le métro en un lieu presque fantastique.

8 Comment comprenez-vous cette remarque de Gocéné : « À lui aussi j'ai dit que nous venions de Guyane pour ne pas qu'il ait peur de mes dents » (l. 750-751) ?

À SAVOIR

UN REGARD SOCIOLOGIQUE

En décrivant le métro à travers le regard neuf, ignorant, de Gocéné, l'auteur met en évidence ce que ce lieu ordinaire peut avoir d'inquiétant, de ridicule, voire d'absurde. Il utilise – l'effet satirique en moins – le procédé à l'œuvre dans *Les Lettres persanes* de Montesquieu, où la société parisienne du début du xviiiᵉ siècle est observée par les yeux amusés de deux Persans, Usbek et Rica, qui, insidieusement, posent cette question : « Comment peut-on être français ? »

C'est cette interrogation même, ou une autre, très proche (« Comment peut-on se prétendre un modèle de civilisation ? »), que les observations de Gocéné suggèrent au lecteur.

Écrire

9 Choisissez un lieu quotidien, ordinaire et, en renouvelant le point de vue que vous avez sur lui, transformez-le en un lieu fantastique.

10 Imaginez les portraits que le vieil homme fait des peuples qu'il a vus au musée du Trocadéro.

Chercher

11 Quelle chanson de Serge Gainsbourg donne la parole à un poinçonneur ?

12 Qu'est-ce qu'un « tabou » ? Donnez le sens étymologique de ce mot.

L'EMBUSCADE

Lire

1 Qui constitue un obstacle de plus à la mission des fuyards ?

2 En quoi cette scène est-elle symétrique de la scène de l'évasion ? Relevez des motifs récurrents.

3 Qu'est-ce qui, à ce moment du récit, associe Gocéné à un prédateur ? Quelle remarque du gardien vient confirmer cette impression ?

4 Quel argument ce dernier utilise-t-il pour nier toute responsabilité ?

5 Récapitulez, depuis le début du roman, tous les signes qui ont montré que les organisateurs de l'Exposition traitent les Kanak comme des animaux et nient leur humanité.

6 Montrez que le personnage de Minoé tient du « merveilleux ». Quelle

est la nature du lien qui unit Gocéné à cette jeune fille ?

7 Quel événement arrête le récit du vieux Gocéné ?

Écrire

8 Imaginez le réquisitoire que Gocéné pourrait prononcer contre ceux qui l'offensent, lui et les siens, en les traitant comme des animaux.

9 Après le départ de Gocéné et de Badimoin, le gardien court alerter les autorités : imaginez le récit qu'il fait de son agression et le portrait-charge qu'il fait de ses agresseurs.

Chercher

10 Le poète Ovide, dans *Les Métamorphoses*, évoque la figure d'Orphée, descendu aux Enfers pour retrouver son épouse, Eurydice ; Gocéné, comme lui, est prêt à transgresser les plus terribles interdits pour retrouver sa Minoé. Procurez-vous *Les Métamorphoses* et lisez cette légende. Quel interdit Orphée et Gocéné ont-ils bravé ?

11 Dressez la liste des grandes puissances coloniales et de leurs possessions entre les deux guerres.

12 Faites des recherches sur la représentation du monde des morts dans la culture kanake, mais aussi dans les cultures gréco-latine et chrétienne.

À SAVOIR

CHAMP LEXICAL, CHAMP SÉMANTIQUE

Le *champ lexical* est un ensemble de mots de classes grammaticales différentes qui se rapportent à la même notion. Repérer les mots d'un champ lexical permet de trouver le thème d'un passage ou d'un texte. Dans cette étape, on peut reconnaître le champ lexical de la nature (l. 803-840).

Le *champ sémantique* est l'ensemble de tous les sens d'un même mot (ex. : le verbe « bercions », l. 916).

POUR COMPRENDRE

Lire

1 « Une fois encore » (l. 981) n'est pas un indicateur de temps précis. Comment justifieriez-vous cette imprécision du cadre temporel ?

2 Quels arguments Gocéné utilise-t-il pour convaincre Badimoin de descendre dans le métro ? Y parvient-il ?

3 Quel mot désigne précisément la « succession de chantiers et de terrains vagues » (l. 1026-1027) que découvrent nos deux héros à la place des fortifications ?

4 Relevez le lexique dévalorisant qui s'attache à ce paysage urbain (l. 1024-1044).

5 Quel sens donnez-vous au rapprochement que fait Gocéné entre ce bidonville et celui de Nouméa (l. 1033-1035) ?

6 Quelle est la fonction du personnage du vieil homme, dans ce décor ?

7 À quoi se limite la description des locaux de l'Armée du Salut ? Les noms reçoivent-ils des expansions ? Quel est l'effet créé par ce procédé ?

8 Quelle valeur le « minuscule morceau de tissu multicolore » (l. 1099) prend-il ?

Écrire

9 Votre état d'esprit est-il influencé par les lieux dans lesquels vous vous trou-

vez ? Associez-vous certains d'entre eux au bonheur et d'autres au malheur ?

10 *Cannibale* est-il un roman d'action ? Votre préférence va-t-elle aux romans d'action ? Justifiez votre réponse à l'aide d'exemples précis.

Chercher

11 Quel auteur a publié, en 1912, un poème intitulé « Zone » ?

12 Renseignez-vous au sujet de l'Armée du Salut. Quelle est la vocation de cette organisation ? Comment fonctionne-t-elle ?

13 Quel roman de Zola commence par une description du boulevard où se trouvent les deux personnages ?

À SAVOIR

LE DISCOURS ARGUMENTATIF

Le *discours argumentatif* apparaît dans un récit quand un personnage défend une opinion (thèse) et cherche à convaincre son interlocuteur à l'aide d'idées (les arguments). Au début de cette étape, Gocéné essaie de convaincre Badimoin de descendre dans le métro en avançant trois arguments (*cf.* question 2). Souvent, les arguments sont liés par des connecteurs logiques qui « assoient » le raisonnement ; ici, ils sont implicites et remplacés par des points de suspension qui marquent la présence de l'émotion au sein même du raisonnement.

Lire

1 Cette étape s'ouvre sur une évocation de la gare de l'Est (l. 1141-1168). En étudiant les différents champs lexicaux de ce passage, déterminez la vision et les impressions que ce lieu fait naître dans l'esprit de Gocéné.

2 Trouvez, dans les premières lignes de cette description, trois occurrences du rythme ternaire. Quelle dimension celui-ci donne-t-il au « trouble » des personnages ?

3 À quelle figure de style rapportez-vous le rapprochement entre l'« harmonie » et le « chaos » (l. 1162) ?

4 Relevez, dans toute l'étape, les propositions qui créent un sentiment d'attente angoissée et, donc, de suspense.

5 Quel danger est bien réel ?

6 Dans cette épreuve de la fuite, quelle est la fonction du métro ? Montrez que ce lieu reste ambivalent.

Écrire

7 Sur le modèle de « une locomotive Pacific, suante, suintante, boursouflée », écrivez un groupe nominal qui présente le même rythme ternaire d'adjectifs et dont le nom-noyau sera « un avion Concorde ».

8 Sur le modèle de « j'étais fasciné par l'harmonie qui naissait du chaos », construisez une proposition qui associe deux termes antonymes.

9 Il vous est sans doute arrivé, dans une situation périlleuse, de trouver une aide (personne, lieu, objet…). Rappelez les circonstances dans lesquelles vous étiez et comment cette aide s'est manifestée.

Chercher

10 À quelle époque les grandes gares parisiennes ont-elles été construites ?

11 Plusieurs grands peintres ont représenté la gare et son quartier : citez-en quelques-uns.

POUR COMPRENDRE

> **À SAVOIR**
>
> **LA DESCRIPTION**
>
> **Décrire, c'est représenter ce qui se situe dans un espace ; c'est aussi choisir un point de vue. Si** celui qui regarde ne communique ni sensations, ni sentiments, on parle de *description objective* ; si, comme dans la description de la gare de l'Est, le narrateur exprime des émotions, on parle de *description subjective*. L'organisation de la description est importante à comprendre, car elle est génératrice de sens. On peut ainsi étudier le point de départ, le point d'arrivée ; le sens de la description (horizontal, vertical) ; la densité et la richesse des expansions du nom ; les choix (ce qui est décrit, ce qui ne l'est pas) ; le rôle de la lumière, des couleurs ; etc.

Lire

1 Quelle première observation Gocéné fait-il à propos de Fofana ? À quel moment Fofana lui-même donne-t-il une explication ?

2 Montrez l'opposition symbolique entre le dénuement du décor et la générosité de Fofana.

3 « Quand des Noirs sont poursuivis par des policiers, je ne sais pas pourquoi, je suis du côté des Noirs », déclare Fofana (l. 1381-1382). Quel sentiment exprime-t-il ici ?

4 Fofana raconte son histoire à l'intérieur même du récit que fait Gocéné : comment appelle-t-on ce procédé qui enchâsse un récit dans un autre ?

À SAVOIR

LE DISCOURS DIRECT

Il est abondant dans ce passage consacré à la rencontre entre Gocéné, Badimoin et leur frère africain. Le narrateur abandonne alors son récit pour rapporter les paroles telles qu'elles sont prononcées dans la situation d'énonciation.

Ici, l'emploi du *discours direct* prend une valeur particulière : il marque l'oralité du récit de Gocéné et suggère que le contenu des propos de Fofana est encore très présent à la mémoire du narrateur.

5 Quel souvenir la vue des policiers a-t-elle réveillé dans la mémoire de Fofana ? Quelle accusation porte-t-il ? Contre qui ?

6 Comment expliqueriez-vous la place qu'occupe, dans cette étape, le paragraphe en italique ?

7 Que peuvent symboliser les « trois poings serrés » (l. 1459) ?

8 Fofana semble intégré à son univers. Mais est-il heureux ?

Écrire

9 Imaginez le discours par lequel le général aurait pu haranguer les tirailleurs sénégalais. Utilisez quelques procédés rhétoriques observés dans les chapitres précédents.

10 Donnez un titre au récit de Fofana et justifiez-le.

Chercher

11 Quel épisode méconnu de la guerre de 1914-1918 Didier Daeninckx rappelle-t-il ? Quel autre de ses romans a pour sujet la Première Guerre mondiale ?

12 Comment s'appelle le mouvement – essentiellement littéraire – par lequel les Noirs revendiquèrent leur culture, dans les années 1930 ?

13 Dans quelles circonstances est né le slogan : « *Black is beautiful* » ?

POUR COMPRENDRE

Lire

1 Montrez que le contenu des rêves de Gocéné est la traduction de ce qu'il vit.

2 En quoi le personnage de Nkegny est-il au confluent de la mémoire individuelle et de la mémoire collective ?

3 Comparez le ton des deux chansons qui apparaissent dans le texte : quelles conceptions radicalement opposées de la condition humaine révèlent-elles ?

4 Quel « spectacle » attire l'attention de Gocéné et des badauds ?

5 Qu'est-ce que la gestuelle de la jeune femme a de théâtral ?

6 Déterminez le genre du discours qu'elle lit et montrez ce qu'il a de polémique.

7 Comment l'auditoire réagit-il à ce discours ?

8 Étudiez les caractéristiques du slogan (l. 1658-1660) : types et natures des phrases employées, jeu de mots.

9 En quoi la jeune femme vient-elle en aide à nos deux héros ?

Écrire

10 Sur le modèle du discours militant (l. 1624-1635), dénoncez une entreprise qui vous révolte.

11 Poursuivez le discours de la jeune femme sur quelques lignes, en conservant le ton polémique.

12 Écrivez le récit d'un de vos rêves et essayez d'interpréter son rapport avec la réalité.

Chercher

13 L'action se passe en 1931 : quelles sont les « fusillades lointaines » dont parle la jeune femme ? Que se passe-t-il au Maroc, au Liban, en Afrique centrale ?

14 Quelles voix se sont élevées contre « l'Exposition colonialiste » ?

À SAVOIR

LE TON POLÉMIQUE

Le mot « polémique » vient du grec *polemikos* qui signifie : « relatif à la guerre ». Est « polémique » tout discours, oral ou écrit, qui contient une critique agressive. Le ton polémique se retrouve dans tous les débats idéologiques. Il met la rhétorique au service de la dénonciation. Il se caractérise souvent par une phrase dénudée et par l'emploi de mots tranchants (Jules Vallès parlait de « phrase à aiguilles »). Le pamphlet et le manifeste sont des exemples de textes polémiques.

Lire

1 En reprenant l'ensemble du récit, montrez que l'Exposition développait le thème de l'exotisme en mêlant les « espèces » animales, végétales, mais aussi « humaines ».

2 Quel est le nouveau personnage dont cette étape présente le portrait ?

3 Quelles sont les connotations des mots « déserteurs » et « capture » employés par Laubreaux ?

4 La scène de la confrontation directe entre Grimaut et les Kanaks est symétrique d'une scène précédente. Laquelle ?

5 Quel fait de langue est à l'origine de la remarque de Grimaut (l. 1722) ?

6 C'est Badimoin qui prononce le réquisitoire contre les responsables de l'Exposition : quel est l'effet de cette initiative sur le destin du personnage ?

7 Comment nomme-t-on les pratiques inégalitaires dont ont été victimes les Kanaks de cette histoire ?

8 Montrez que les propos de Grimaut réduisent la portée du discours de Badimoin.

9 « Ce qu'on a fait, on doit savoir le défaire » (l. 1767-1768) : quel type d'énoncé a-t-on là ?

10 Quelle est le principal trait de caractère de Grimaut ?

11 Montrez la montée de la violence à travers le vocabulaire de la page 99.

Écrire

12 Rédigez deux maximes qui correspondent à votre règle de conduite, à votre morale.

13 Vous avez été frappé(e) par la lâcheté de quelqu'un : dites comment elle se manifestait et quelle fut votre réaction.

Chercher

14 Pour sa défense, Grimaut suggère qu'il n'a eu aucun rôle dans la « déportation » des Kanaks vers Francfort. Quel dirigeant nazi, jugé et condamné en Israël, était responsable du transport des Juifs vers les camps d'extermination ?

15 Reportez-vous au *Code pénal* pour retrouver le texte qui interdit, depuis 1972, toutes pratiques discriminatoires.

QU'EST-CE QUI TERNIT LE SOLEIL ?

PAGES **100** à **104**
LIGNES **1804** à **1910**
PAGES **105** à **108**
LIGNES **1** à **63**

125

POUR COMPRENDRE

Lire

1 Pourquoi cette fuite ne sera-t-elle pas une simple répétition des précédentes ? Quel élément porte la menace à son paroxysme ?

2 Relevez les euphémismes qui suggèrent la mort de Badimoin ; comment le mot « mort » lui-même est-il adouci ?

3 En reprenant l'ensemble du récit, montrez que le chant accompagne chaque moment dramatique. Quelle différence établissez-vous entre « chanson » et « chant » ? Quel est le thème principal de la mélopée du chef Céu ?

4 Qualifiez le ton de l'homme qui a « rompu le cercle ». Quelle est la fonction de ce personnage ?

À SAVOIR

LE SCHÉMA NARRATIF

Le *schéma narratif* est toujours constitué d'une situation initiale (l'arrivée des Kanaks à Paris), d'un élément perturbateur (la mort des crocodiles), de péripéties ou d'épreuves (celles que les deux héros affrontent pour retrouver les leurs), d'une phase de résolution qui conduit au dénouement du récit (la confrontation avec Grimaut) et d'une situation finale (la mort de Badimoin, l'emprisonnement de Gocéné).

5 En quoi le dénouement est-il tragique ? Comment interprétez-vous l'accélération des événements ?

6 Quelle phrase de la page 105, quel personnage assurent le passage de l'histoire contée par Gocéné à la situation d'énonciation du début ?

7 Quel symbole voyez-vous dans le fait que le personnage central de l'épilogue est Francis Caroz ? Que représente-t-il ?

8 Comment les dernières phrases du texte présagent-elles les événements qui ensanglantèrent la Nouvelle-Calédonie en 1988 ?

Écrire

9 Imaginez le contenu de la lettre que Francis Caroz envoya à Gocéné.

10 Caroz explique à un membre de sa famille pourquoi il n'a plus quitté l'île : essayez de construire une argumentation.

11 Proposez une autre fin à ce récit.

Chercher

12 Constituez un dossier sur la révolte qui conduisit à la tragédie de la grotte d'Ouvéa, en 1988.

13 Qui sont les « Caldoches » ?

14 Quelle est le statut de l'île, aujourd'hui ?

LE COLONIALISME EN QUESTION

On est frappé de voir que, dès la découverte du Nouveau Monde, des voix s'élèvent qui dénoncent l'entreprise d'asservissement des peuples cachée derrière des idées et des techniques avancées au nom de la civilisation. Elles disent les échanges honteux dont se repaît l'Europe : des villes rasées contre « des perles et du poivre » (Montaigne) ; des mains et des jambes coupées contre du sucre (Voltaire). Elles disent aussi les effets pervers de cette vaste entreprise : l'anéantissement de la culture du peuple colonisé (Louise Michel), la violation de la dignité (Daeninckx, Karembeu).

Quand il mutile les corps, les chants ou la mémoire, le colonialisme peut alors apparaître comme une des formes les plus achevées de violation des droits fondamentaux de l'homme.

Michel de Montaigne (1533-1592)

Les Essais (1580-posth. 1595)
Dans son œuvre essentielle intitulée *Les Essais*, écrite à partir de 1572 et poursuivie jusqu'à sa mort, Montaigne évoque, dans le chapitre 6 du livre III, la découverte du Nouveau Monde. Il redoute la cruauté des Espagnols dans les Indes occidentales et, en humaniste, dénonce le comportement des colonisateurs et la violence faite à ce « monde enfant ».

Notre monde vient d'en découvrir un autre (et qui peut nous assurer que c'est le dernier de ses frères, puisque les Démons, les Sibylles et nous-mêmes avons ignoré celui-ci jusqu'à ce jour ?), tout aussi grand, plein et formé que lui, mais cependant si neuf et si enfant qu'on lui apprend encore son alphabet.

[...] Quel dommage que ne soit pas tombée aux mains d'Alexandre ou de ces anciens Grecs et Romains une si noble conquête, et un tel changement, un tel bouleversement de tant d'empires et de peuples en des mains qui auraient avec douceur poli et défriché ce qu'il y avait en eux de sauvage, et qui auraient raffermi et fait croître les bonnes semences que la nature leur avait données !

Comme il aurait été facile de tirer avantage d'âmes si neuves, si affamées de connaissances, et qui avaient presque toutes eu, à l'état de nature, de si beaux débuts ! Mais, au contraire, nous nous sommes servis de leur ignorance et de leur inexpérience pour les entraîner plus facilement à trahir, à connaître la luxure et la cupidité, et toutes les formes de l'inhumanité et de la cruauté, selon l'exemple et le modèle que leur donnaient nos mœurs.

Tant de villes rasées, tant de peuples exterminés, tant de millions de gens passés au fil de l'épée, et la partie du monde la plus riche et la plus belle bouleversée pour négocier des perles et du poivre : viles victoires !

Voltaire (1694-1778)

Candide ou l'Optimisme (1759)

Candide, chassé de son château natal, est contraint de parcourir le monde. Chaque épreuve qu'il subit le fait douter de l'optimisme que lui professait son maître Pangloss. À Surinam, ville de l'ancienne Guyane hollandaise, il rencontre un pauvre Noir qui se demande si « nous sommes tous enfants d'Adam, Blancs et Noirs », et lui fait verser des larmes.

En approchant de la ville, ils rencontrèrent un nègre étendu par terre, n'ayant plus que la moitié de son habit, c'est-à-dire un caleçon de toile bleue ; il manquait à ce pauvre homme la jambe gauche et la main droite. « Eh ! mon Dieu ! lui dit Candide en hollandais, que fais-tu là, mon ami, dans l'état horrible où je te vois ? – J'attends mon maître M. Vanderdendur, le fameux négociant, répondit le nègre. – Est-ce M. Vanderdendur, dit Candide, qui t'a traité ainsi ? – Oui, monsieur, dit le nègre, c'est l'usage. On nous donne un caleçon de toile pour tout vêtement deux fois l'année. Quand nous travaillons aux sucreries, et que la meule nous attrape le doigt, on nous coupe la main ; quand nous voulons nous enfuir, on nous coupe la jambe : je me suis trouvé dans les deux cas. C'est à ce prix que vous mangez du sucre en Europe. Cependant, lorsque ma mère me vendit dix écus patagons sur la côte de Guinée, elle me disait : " Mon cher enfant, bénis nos fétiches, adore-les toujours, ils te feront vivre heureux ; tu as l'honneur d'être esclave de nos seigneurs les Blancs, et tu fais par là la fortune de ton père et de ta mère. " Hélas ! je ne sais pas si j'ai fait leur fortune, mais ils n'ont pas fait la mienne. Les chiens, les singes et les perroquets sont mille fois moins malheureux que nous ; les fétiches hollandais qui m'ont converti me disent tous les dimanches que nous sommes tous enfants d'Adam, Blancs et Noirs. Je ne suis pas généalogiste ; mais si ces prêcheurs disent vrai, nous sommes tous cousins issus de germain. Or, vous m'avouerez qu'on ne peut pas en user avec ses parents d'une manière plus horrible.

– Ô Pangloss ! s'écria Candide, tu n'avais pas deviné cette abomination ; c'en est fait, il faudra qu'à la fin je renonce à ton optimisme.

– Qu'est-ce qu'optimisme ? disait Cacambo.

– Hélas ! dit Candide, c'est la rage de soutenir que tout est bien quand on est mal » ; et il versait des larmes en regardant son nègre ; et en pleurant, il entra dans Surinam.

Louise Michel (1830-1905)

Aux amis d'Europe (1875)

Louise Michel appartient à ces communards qui furent déportés en Nouvelle-Calédonie, de 1873 à 1880. En 1875, elle publie dans le journal *Petites Affiches de la Nouvelle-Calédonie* des légendes et des chansons de geste kanaks. Dans l'introduction, elle explique à ses « amis d'Europe » le caractère précieux de ces chants.

La race canaque est meilleure qu'on ne le croit ; ils sentent une idée généreuse plus vite que nous ne la comprenons ; elle met dans leurs yeux une douceur infinie tandis qu'un récit de combat y allume des éclairs.

[...] Cette race est-elle appelée à monter ou à disparaître ? Le sol calédonien est-il un berceau ou le lit d'agonie d'une race décrépite ? Nous penchons à quelques peuplades près pour la première supposition ; il serait donc possible de conserver ces peuplades en les mêlant à la vieille race d'Europe : les unes donneraient leur force, l'autre son intelligence à une jeune génération.

En attendant, tandis que vos philosophes blancs noircissent du papier, nous écoutons les bardes noirs à qui malheureusement on fait mêler nos mots barbares à leurs mots primitifs avant de les saisir tels qu'ils sont. Le vocabulaire d'une peuplade n'est-ce pas ses mœurs, son histoire, sa physionomie ?

La race va s'éteindre et nous ne savons rien, à peine si l'argot anglocanaque-franc laisse survivre une partie des mots véritables.

Ne pourrait-on saisir ces dialectes, étudier cette race, avant que l'ombre recouvre des choses historiquement curieuses ?

A. Breton (1896-1966), P. Eluard (1895-1952), B. Péret (1899-1959), etc.

Ne visitez pas l'Exposition coloniale (tract surréaliste de mai 1931 : extrait)
Les artistes surréalistes étaient sur le front de la lutte anticolonialiste. Cet appel, publié sous forme de tract juste avant l'ouverture de l'Exposition coloniale, fait partie des rares textes ouvertement opposés à l'Exposition et en faveur d'une prise de conscience radicale.

L'idée du brigandage colonial (le mot était brillant et à peine assez fort), cette idée, qui date du XIXᵉ siècle, est de celles qui n'ont pas fait leur chemin. On s'est servi de l'argent qu'on avait en trop pour envoyer en Afrique, en Asie, des navires, des pelles, des pioches, grâce auxquels il y a enfin, là-bas, de quoi travailler pour un salaire et, cet argent, on le représente volontiers comme un don fait aux indigènes. Il est donc naturel, prétend-on, que le travail de ces millions de nouveaux esclaves nous ait *donné* les monceaux d'or qui sont en réserve dans les caves de la Banque de France. Mais que le travail forcé – ou libre – préside à cet échange monstrueux, que des hommes dont les mœurs, ce que nous essayons d'en apprendre à travers des témoignages rarement désintéressés, des hommes qu'il est permis de tenir pour moins pervertis que nous et c'est peu dire, peut-être pour éclairés comme nous ne le sommes plus sur les fins véritables de l'espèce humaine, du savoir, de l'amour et du bonheur humains, que ces hommes dont nous distingue ne serait-ce que notre qualité de

Blancs, nous qui disons « hommes de couleurs », nous hommes sans couleur, aient été tenus, par la seule puissance de la métallurgie européenne, en 1914, de se faire crever la peau pour un très bas monument funéraire collectif – c'était d'ailleurs, si nous ne nous trompons pas, une idée *française,* cela répondait à un calcul *français* – voilà qui nous permet d'inaugurer, nous aussi, à notre manière, l'Exposition coloniale et de tenir tous les zélateurs de cette entreprise pour des rapaces.

Didier Daeninckx, Christian Karembeu

Extrait d'un entretien publié dans *VSD* (n° 1 099, du 17 au 23 septembre 1998)
Le 3 septembre 1998, Didier Daeninckx rencontre Christian Karembeu à Clairefontaine et lui offre un exemplaire de *Cannibale*. Ils évoquent ensemble le drame du peuple kanak.

DIDIER DAENINCKX : Vous semblez ému. Pourtant, vous m'aviez dit que vous connaissiez bien cette histoire avant de lire mon livre.

CHRISTIAN KAREMBEU : Bien sûr, je suis trop passionné par l'histoire de mon peuple pour ignorer l'Exposition coloniale. Mais nous sommes d'une culture orale. Il n'y a rien d'écrit sur le sujet. Chez nous, tout se passe le soir, dans la case, quand les anciens racontent les légendes. J'étais juste fier d'avoir des photos de mon grand-père en Europe. Je me souviens très bien de mon arrière-grand-père, Kaké, qui m'a donné mon vrai prénom : Lali.

D. D. : Quelque chose vous a mis la puce à l'oreille ?

C. K. : Oui. J'ai fini par comprendre que la nature violente et haineuse de mon arrière-grand-père Willy Karembeu était liée à ce voyage. Il était rentré au pays traumatisé et il ne s'en est jamais vraiment remis. Je n'ai jamais osé lui poser de questions. Ma famille, comme beaucoup d'autres familles kanakes, avait pourtant connu des choses terribles : les travaux forcés avec des hommes enchaînés pour construire les lignes de chemin de fer et l'expropriation des terres. Les colons profitaient du fait que certaines parcelles étaient mises en jachère pour les prendre aux Kanaks. Alors que nous savions très bien les exploiter. On défrichait, on se déplaçait en restant toujours dans les limites du territoire de notre clan. Nous n'avions pas de cadastre, mais les limites étaient fixées par la parole et le respect, et cela fonctionnait à merveille. Bref, nous avions déjà beaucoup souffert, mais quand je pense à cet échange avec un zoo allemand : des Kanaks contre des crocodiles, à ces femmes, pudiques, dénudées devant la foule… Dans votre livre, j'ai appris des choses bien plus graves que celles que je connaissais déjà.

Pour la collection «Classiques & Contemporains», *Didier Daeninckx a accepté de répondre aux questions de Josiane Grinfas, professeur de Lettres, auteur du présent appareil pédagogique.*

JOSIANE GRINFAS : Comment vos romans prennent-ils naissance ? Qu'est-ce qui vous conduit vers les faits, souvent historiques, dont vos livres utilisent la matière ?

DIDIER DAENINCKX : C'est souvent le hasard qui est à la base du choix d'un sujet. Mais je pense que nous ne sommes pas tous susceptibles de rencontrer le même type de « hasard ». L'histoire mouvementée de ma famille, le fait que beaucoup de personnes qui m'ont précédé se soient frottées à l'Histoire, avec une majuscule, ont formé mon regard, ma sensibilité et peut-être suis-je plus réceptif à certains travers de la société. Je ne me satisfais pas de la manière dont on m'explique la marche chaotique du monde ; j'ai toujours besoin d'aller voir de plus près, de démonter les rouages. J'écris des romans pour essayer de comprendre comment ça marche : je choisis un lieu, une époque, et j'essaie de voir, au moyen de personnages fictifs, comment des hommes, des femmes arrivent à se débrouiller, à rester humains dans les pires conditions. J'ai, par exemple, écrit un livre, *Le Der des ders*, qui se passe autour de la guerre de 1914-1918, en pensant très fortement à mon grand-père paternel qui s'est retrouvé, à dix-huit ans, dans l'horreur des tranchées. Un autre, *Meurtres pour mémoire*, évoque la guerre d'Algérie, et j'ai essayé d'y retrouver mes émotions d'enfant, quand on tuait des gens jusque dans les rues de Paris. Dernièrement, j'ai été choqué par les images de l'incendie de la bibliothèque universitaire de Lyon. Quatre cent mille livres rares, des manuscrits détruits par les flammes allumées volontairement. Je me suis interrogé sur cette question : pourquoi en arrive-t-on à brûler les livres ? Et l'on sait, depuis la dernière guerre, que, quand on commence à brûler la pensée, on ne tarde pas à jeter des hommes au milieu des flammes.

J. G. : Qu'est-ce qui vous a amené vers le peuple kanak et son histoire ?

D. D. : C'est là aussi une suite de coïncidences. Un ami bibliothécaire a été nommé à la direction de la bibliothèque de Nouméa. Il a organisé un réseau de cases-lectures dans les villages kanaks et m'a demandé de venir rencontrer le public à travers toute la Nouvelle-Calédonie. J'étais invité, pendant tout mon périple, une fois par un chef de tribu, une autre par un maire caldoche, une autre par une école publique, une école catholique ou protestante. J'ai pu me rendre compte de la diversité des destins qui se sont croisés sur cette petite île du bout du monde. Dès le premier jour, sur l'île de Lifou, j'ai pris conscience que la culture kanake était essentiellement orale, que le culte de la chose écrite n'existait pas : c'est à la parole donnée qu'on attachait du prix et du respect. Je me suis donc transformé en conteur, et je racontais mes romans, mes nouvelles. En échange, on me racontait des contes et des légendes de Kanaky qui sont gorgés de l'histoire du pays.

J. G. : La partie centrale du roman est constituée par l'histoire que le vieux Gocéné raconte à Kali et Wathiock. Votre désir d'écrivain n'était-il pas de fixer par écrit un peu de la mémoire du peuple kanak ?

D. D. : Aujourd'hui, il existe des écrivains kanaks dont la plus fameuse est la poétesse Déwé Gorédé. Mais le fait que cette culture se transmettait essentiellement par la parole a eu pour conséquence que ce sont d'autres que les Kanaks qui se sont mis à raconter l'histoire de cette île et de ses habitants. Il y a là une sorte de dépossession historique et culturelle. Je ne voulais donc pas « voler » une histoire pour en faire un livre exotique. Il y aurait mille choses à raconter sur ce bout de terre : c'est une véritable mine d'or pour les romanciers… J'ai donc décidé d'écrire une histoire qui se passerait presque entièrement à Paris. Ce que raconte Gocéné, aux deux jeunes révoltés, sur le barrage, c'est donc un épisode d'une histoire française à laquelle une centaine de Kanaks ont été mêlés, malgré eux.

J. G. : Par quel travail transformez-vous un fait divers en matière romanesque ?

D. D. : Je me laisse envahir par une grande masse de documentation. Pour *Cannibale*, j'ai relu de vieux numéros des journaux de l'époque comme *L'Illustration*, des romans, revu des photos, des films, j'ai écouté de la musique des années 1930, des chansons qui passaient à la radio et qui aujourd'hui feraient scandale tellement s'y exprime un racisme victorieux et quotidien. J'ai également interrogé des documents sur l'histoire de la colonisation de la Nouvelle-Calédonie, sur les mœurs et la culture kanaks. Peu à peu des thèmes se sont dégagés, se sont imposés. Puis les personnages sont apparus. J'ai su que le livre allait exister quand j'ai pensé à l'histoire d'amour entre Gocéné et Minoé. D'un seul coup, tout devenait évident :

Gocéné part à la recherche de sa fiancée dans une ville qui est une jungle mille fois plus hostile que ce pays de « cannibales » avec lequel on fait frissonner les Parisiens. Ensuite tout s'est installé, comme par enchantement.

J. G. : Les événements qui nourrissent vos romans parlent souvent de discrimination et des souffrances qu'elle entraîne. Dans un entretien, vous avez dit à propos du *Chat de Tigali* : « Si seulement cela pouvait […] faire oublier les mots qui blessent, les mots qui tuent. » Vous considérez-vous un peu comme un médecin des âmes ?

D. D. : J'ai toujours vécu en Seine-Saint-Denis, dans une ville ouvrière qui, depuis des dizaines d'années, accueille des gens du monde entier qui ne peuvent plus vivre chez eux à cause de la faim, de la misère, de la dictature. À l'école, mes amis étaient d'origines italienne, espagnole, algérienne, pied-noir. Ma famille est à l'image de l'équipe de France de football de 1998 ; à table, on y évoque la Kabylie et la Castille, les Caraïbes ou la Flandre. Je ne supporte pas qu'un être soit écarté, délégitimé, par le fait qu'il soit né autre part ou que les sonorités de son nom viennent d'ailleurs. Au bout de ma rue, une femme venue d'Allemagne a demandé à tous ses voisins de lui ramener des graines, des plantes à leur retour de vacances. Elle a tout planté dans son jardin qui est devenu « le jardin du Monde ». Il y pousse des fleurs incroyables venues de partout et les voisins s'arrêtent un moment pour y retrouver une couleur, une odeur, une beauté de chez eux. J'essaie de faire la même chose avec les mots.

J. G. : Qu'est-ce qui caractérise votre travail quand vous écrivez pour la jeunesse ?

D. D. : C'est curieux, mais je n'ai jamais la sensation d'écrire « pour » un public. Tous les livres que j'ai écrits qui ont été publiés dans une collection pour la jeunesse ont un point commun : je les ai écrits pour « un » enfant bien particulier. *Le Chat de Tigali* a été composé pour répondre à une question d'une de mes nièces qui, toute petite, avait été victime de propos racistes à cause de son nom de famille venu de l'autre côté de la Méditerranée. *La Papillonne de toutes les couleurs* est en fait l'histoire que je racontais à ma fille tous les soirs, pendant des années, pour qu'elle trouve le sommeil. Un jour, elle avait alors quinze ans, elle m'a demandé de la lui raconter une nouvelle fois. Je me suis dit : « C'est reparti pour dix ans ! ». J'ai donc décidé de la fixer sur papier et c'est devenu un livre. Ce sont les seules fois où le lecteur est présent au moment de l'écriture.

J. G. : Comment définiriez-vous la littérature engagée ?

D. D. : C'est toujours compliqué de répondre à une telle question. Jacques Prévert avait trouvé une réponse : « Je fais de la littérature dégagée », disait-il. J'aurais aimé être le premier à trouver la répartie. Dans chacun de mes romans, j'aborde des problèmes graves, je mets en scène des dysfonctionnements de la société, de l'État. Pourtant, je ne cherche jamais à donner une leçon de choses au lecteur. J'essaie véritablement de savoir comment un humain réagit quand il est plongé dans la plus difficile des situations, comment il parvient à trouver le chemin de la morale humaine, de la solidarité. La tonalité de mes livres est celle-ci. En fait, quand Prévert répond « dégagé », il indique une volonté : on ne peut écrire vraiment qu'en étant libre, en étant dégagé de toute pression, de toute obligation, de tout pouvoir, de tout parti. La littérature ne cherche pas à prouver, mais à dire. Son seul engagement est la vérité.

J. G. : Pour quelles mémoires avez-vous encore envie de vous battre ?

D. D. : Une partie seulement du monde est dans une zone de prospérité. La majorité des habitants du globe vivent dans des conditions inhumaines. Ici, tout nous pousse à l'égoïsme, à n'ouvrir les yeux que sur cette fraction de monde préservée. Je pense souvent à ces deux enfants africains qui tentaient de venir en France, cachés dans le train d'atterrissage d'un Airbus, et qu'on a retrouvés morts de froid. Ils avaient écrit une lettre bouleversante à « Messieurs les présidents d'Europe » pour attirer leur attention sur le drame que vivent les Africains. J'aurais envie que cette lettre soit affichée près de la Déclaration Universelle des Droits de l'Homme, pour montrer le chemin qu'il nous reste à parcourir vers l'égalité.

Février 2001

BIBLIOGRAPHIE
Œuvres de Didier Daeninckx
– *Le Der des ders*, « Folio Policier », Gallimard, 1984.
– *Meurtres pour mémoire*, « Folio Policier », Gallimard, 1984.
– *Écrire en contre* (entretiens), Paroles d'Aube, 1997.
– *Le Dernier Guérillero*, Verdier, 2000.
– *Hors limites* (bande dessinée), Éditions Hors Collection, 2001.
– *La Papillonne de toutes les couleurs* (jeunesse), « Père Castor », Flammarion, 1998.

Sur la Nouvelle-Calédonie et le colonialisme
– Alban Bensa, *La Nouvelle-Calédonie : vers l'émancipation*, « Découvertes », Gallimard, 1998.
– Joël Dauphiné, *Canaques de la Nouvelle-Calédonie à Paris en 1931 : de la case au zoo*, L'Harmattan, 1998.
– Isabelle Merle, *Expériences coloniales : la Nouvelle-Calédonie* (1853-1920), « Histoire et Société », Belin, 1995.
– Anne Pitoiset, *Nouvelle-Calédonie : horizons pacifiques*, Éditions Autrement, 1999.
– Pascal Blanchard et Nicolas Bancel, *De l'indigène à l'immigré*, « Découvertes », Gallimard, 1998.
– Pierre-André Taguieff, *La Couleur et le Sang : doctrines racistes à la française*, Éditions Mille et Une Nuits, 1998.

CONSULTER INTERNET
Sur la Nouvelle-Calédonie
– http ://banian.citeweb.net/
Site de l'association « Kanaky-Solidarité », dont un des responsables, Alban Bensa, est anthropologue et grand connaisseur de la Nouvelle-Calédonie.
– http ://www.adck.nc/
Site du centre culturel Tjibaou.
– www.multimania.com/melanesian
Site d'art mélanésien : les œuvres présentées sont originaires de la région du Pacifique Sud, communément appelée Mélanésie. La Mélanésie comprend la Papouasie-Nouvelle-Guinée, les îles Salomon, Vanuatu, Fidji, la Nouvelle-Calédonie.

– www.unesco.org/culture/copyright/folklore/html_fr/declaration.htm
Colloque de l'UNESCO sur la protection du savoir traditionnel et des formes d'expression des cultures autochtones dans les îles du Pacifique.

– http ://www.france.diplomatie.gouv.fr/culture/france/biblio/folio/outre-mer/pacifiq.html
Site du ministère des Affaires étrangères, consacré aux écrivains français d'outre-mer (bon aperçu des écrivains de Polynésie et de Nouvelle-Calédonie).

– http ://www.offratel.nc/lefebvre/
Site de B. Lefebvre, consacré à la littérature et aux écrivains de Nouvelle-Calédonie.

– http ://www.brousse-en-folie.com/broussefolie/
Site des Éditions La Brousse en folie, consacré à la bande dessinée calédonienne.

– http ://www.festival-pacific-arts.org
Site en anglais et en francais du 8e Festival des arts du Pacifique, qui s'est déroulé à Nouméa du 23 octobre au 3 novembre 2000.

– http ://www.mobot.org/MOBOT/research/newcaledonia/lit.html
Site proposant une liste d'ouvrages traitant de la Nouvelle-Calédonie.

Sur Didier Daeninckx

– http ://www.mle.asso.fr/verdier/france/auteurs/daeninckx.htm
Éléments biographiques, bibliographie complète, comprenant les scénarios pour le cinéma et la télévision... Cette adresse fourmille de renseignements sur la vie et l'œuvre de Didier Daeninckx.

– http ://www.tao.ca/~direct_ait/auj98106.html
Le site d'« Aujourd'hui » propose un entretien avec Didier Daeninckx, portant notamment sur sa conception du roman policier.

Dans la collection

Classiques & Contemporains

SÉRIES COLLÈGE ET LYCÉE

Couverture

Conception graphique : Marie-Astrid Bailly-Maître
Photo : Montage réalisé à partir de deux clichés.
– « Exposition coloniale de 1931 : le Pont du lac Daumesnil », © L'ILLUSTRA-TION/KEYSTONE ;
– « Exposition coloniale de 1931 : le pavillon de Nouvelle-Calédonie », © L'ILLUSTRATION/KEYSTONE.

Intérieur

Conception graphique : Marie-Astrid Bailly-Maître
Réalisation : Nord Compo, Villeneuve-d'Ascq

Remerciements de l'éditeur

– À Didier Daeninckx et aux Éditions Verdier, qui ont joué le jeu avec amabilité ;
– À Jean-François Carrez-Corral, pour ses précieux renseignements.

www.magnard.fr

Achevé d'imprimer en France, en avril 2005 par C.C.I.F. (18390 Saint-Germain-du-Puy)
Dépôt légal : mai 2001 - N° d'éditeur : 2005/218
N° d'imprimeur : 05/185